나는 너랑 노는 게 제일 좋아

나는 너랑 노는 게 제일 좋아

하태완 지음

아끼고 고맙고 사랑하는 당신에게

북로망스

당신을 만나는 게 제일 좋습니다

제 글을 읽어주는 이들과 오랜 대화를 나눠보고 싶다는 생각을 했습니다. 내가 쓰는 글은 읽는 이에게 과연 어떤 의미일까. 요즘 들어 약간의 틈이 생길 때마다 불쑥불쑥 차오르는 물음입니다. 내 삶의 일부 혹은 전부와도 같은 글을 접하며 사람들은 어떤 세상을 경험하고 흡수하는 걸까, 또 나는 그들에게 양질의 치유를 올바른 형태로 건네고 있는 걸까, 하는 궁금증이 머릿속과 눈앞을 차례로 관통하곤 합니다. 몇 년째 사면이 까맣게 칠해진 골방에 들어앉아 쓰는 일만을 계속해온 탓인지, 오늘만큼은 당신의 목소리에 귀 기울이고 싶다는 속마음이 바깥으로 튕겨 나오고 말았습니다.

누군가 제게 불안과 외로움은 당연한 감정이라 일러준 적이 있습니다. 사랑의 유무와는 별개로 인간은 수시로 불안하고 자주 외로울 수 있다고요. 제가 당신의 목소리를 들으려는 것도, 내가 쓰는 글의 역할을 명확히 알고자 하는 것도 같은 맥락입니다. 나는 하루의 절반 이상을 글을 쓰며 보내는 사람이니까. 세상을 깊게 들여다볼 기회 또한 그때뿐이니까. 그래서 더욱 제 글을 읽어주는 당신들과 무수히 많은 것들을 공유하고 싶습니다.

저자와 독자는 무어라 형용할 수 없는 관계로 단단히 묶인다고 합니다. 그렇기에 가족과 애인과 친구에게도 쉬이 털어놓을 수 없었던 치부를, 허락이라도 떨어진 양 터트리듯 서로에게 털어놓을 수 있는 모양입니다. 그리고 우리는 귀담아 들은 서로의 치부를 타인에게 일러바치지 않죠. 이토록 강한 믿음은 어떤 관계에서도 쉽게 발견되지 않습니다. 생각해보면 우리는 지금껏 서로를 응원하고, 위로하고, 격려하고, 동경하고, 친애하는 동안 어떠한 조건도 갖다 붙인 적 없었습니다. 얼굴 한번 제대로 마주하지 못했음에도 셀 수 없이 많은 대화를 나눠왔습니다. 문득 그런 당신을 떠올릴 때면 애써 울음을 참는 얼굴이 되어버리고는 합니다.

오늘은 당신의 이야기를 들으며 격렬히 고개를 끄덕이고 싶은 날입니다. 저 또한 오래 참았다는 듯 여러 질문과 이야기들을 퍼붓고 싶습니다. 그간 얼마나 많이 아팠으며 또 얼마나 많이 털고 일어섰느냐고. 울퉁불퉁한 길을 넘어 어떻게 여기까지 걸어왔느냐고. 견디기 힘들고 버겁지는 않았던 거냐고. 이제 모든 것이 고해상으로 보이는 여름이 성큼 다가왔다고. 아주 바쁘고 한 줌의 여유를 내기조차 어렵더라도, 우리 이 계절의 맑은 하늘 한 번쯤은 올려다볼 수 있는 사람이 되자고. 그렇게 살아내다 언젠가 반가운 자리에서 웃는 얼굴로 얼굴을 마주하자고. 향긋한 차를 마시고 맛있는 밥을 배불리 먹자고. 싱거운 대화를 진종일 주고받으며 서로에게 감사와 구원을 선물할 수 있다면 참 좋을 것 같습니다.

저는 요즘 제 글이 무척 마음에 듭니다. 쓰면서도 이따금 너무 좋아서 놀랄 만큼 저의 글을 사랑하고 있습니다. 다행이다, 다른 누구도 아닌 내가 나의 글을 좋아하고 있어서 참 다행이다, 하며 작업하고 있습니다. 자신의 작품을 진심으로 아낄 줄 아는 창작자가 얼마나 행복할 수 있는지 몸소 느끼는 삶을 사는 중입니다. 사랑을 진탕 먹고 무럭무럭 쓰인 이 글들이 부디 당신의 삶 귀퉁이를 작게나마 차지할 수 있었으면 좋겠습니다. 제가 느낀 행복을 당신도 한 줌 집어삼킬 수 있었으면 참 좋겠습니다.

모쪼록 몸도 마음도 내내 건강하세요. 또한 지나온 삶의 뒷면에 덕지덕지 묻은 후회를 너무 미워하지 않으셨으면 좋겠습니다. 빅토리아 홀트의 말처럼 좋았다면 참 멋진 것이고, 나빴다면 경험인 것이라는 말을 주축으로 두고 살아가셨으면 해요. 안개 끼고, 비가 오고, 눈이 오는 삶 또한 나름의 고요함이 있음을 기억하셨으면 좋겠습니다.

이제 당신이 보고 싶은 마음 가득 품고, 세상에 발설되지 않은 이야기들을 꾹꾹 눌러 담아 전해드립니다. 나는 당신과 이곳에서 만나 노는 게 제일 좋습니다.

2023년 여름,

당신께 드리는 편지

1장 안부를 건네다

오늘 하루가 내내 편안하기를

2장 사랑을 건네다

당신을 향한 마음의 눈금

3장 감사를 건네다

누구보다 찬란할 우리의 동행

"행복에 닿고 싶은 나와

늘 고마운 사람, 당신.

우리의 내일 그리고 사랑을

빼곡한 마음에 담아 전한다."

1장 안부를 건네다

오늘 하루가 내내 편안하기를

몸과 마음 모두

감기 않는 일 없이

그저 편안하기를

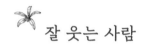 잘 웃는 사람

나는 너랑 있을 때 가장 잘 웃는 사람이 돼. 너랑 시시콜콜 일상적인 대화를 나눌 때도, 우리 함께 걷는 길의 어디선가 좋아하는 음악이 불현듯 흘러나올 때도, 너랑 술 한 잔씩 따라 마시며 이 겨울 추위를 녹여낼 때도, 너랑 여느 때와 같이 끼니를 때울 때도 웃음이 끊이지를 않고 만연하거든.

그러니 우리 내내 같이 있자. 함께 나누고픈 기쁨이 봄처럼 돋을 때는 물론이거니와 모진 슬픔 탓에 눈시울이 여름처럼 뜨거워진대도, 시린 불안 탓에 가슴께가 겨울처럼 얼어버린대도. 쉬지 않고 붙어 앉아 잇몸까지 드러내며 활짝 웃어. 그래야 꽁꽁 언 생의 틈마다 우리 애정이 봉오리를 틔울 테니까.

나는 우리가 적어도 서로의 곁에서만큼은 몸의 어떤 곳

하나 힘을 주지 않고도 버티고 설 수 있었으면 해. 그러려면 우리가 만나서 얼굴을 마주하는 일을 호흡만큼 잦게 하는 게 좋겠어. 시도 때도 없이 팔짱을 끼고 체온을 나누면서 사랑을 데우는 거야. 사랑한다는 말 없이도 너무 깊은 사랑임이 틀림없을 때까지 만나서 웃는 거야.

행복이 나타나는 곳

이유도 없이 나를 미워하는 사람이 있는 반면에, 나도 모르는 새 나를 좋아해주며 품을 내어주는 사람이 있다. 삶을 나눌 만큼 각별했던 사람의 얼굴과 목소리를 아주 잊기도 하고, 어제까지 몰랐던 사람의 다정한 위로에 전에 없던 해방감을 느끼기도 한다. 그러니 인간관계의 불확실함, 애정과 미움 사이에서 갈팡질팡 휘청거리는 것은 인생의 낭비가 아닐 수 없다.

서로를 강하게 당기고 또 힘없이 밀어내는 것. 호흡만큼 자주 겪게 되는 만남과 이별. 어쩌면 이 모든 것이 우리가 어느 곳으로든 멈춤 없이 잘 나아가고 있음을 방증하는 것이 아닐까. 너무 골똘히 생각하지 말자. 지금껏 해왔던 대로 계속 걷자. 너무 기대하지도 말고, 지나치게 경계하지도 말자. 당장 눈앞의 사랑과 친절에 감사하고, 맞닥뜨린 헤어짐에 힘껏 슬퍼하되 전부를 걸지는 말자. 정서적인 풍요를 이루는 데에만 애쓰자.

행복은 늘 굴곡 없는 마음의 끝에 나타나기 마련이고, 행복한 삶에는 작게나마 바라왔던 나의 인연이 뒤따르는 법이니까.

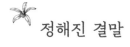 정해진 결말

우리는 모두 언젠가 헤어져야만 해요. 서로 미워 얼굴 붉히며 등 돌리는 것이 아니더라도, 헤어짐은 맺은 인연 앞에 필연이 아닐 수 없어요. 그리고 우리는 모두 당연한 이별을 투명 너머를 보듯 분명히 알고 있어요.

사랑하는 가족과 연인, 친구들과 반려하는 동물들까지. 내가 사랑하고 나를 사랑한 존재와의 이별은 상상만으로도 고될 만큼 힘겹다는 걸 알아요. 그러니 우리 마지막 도착지가 있다는 사실을 말끔히 잊고 살아요. 지금이 전부인 것처럼 사랑해요.

사랑은 매 순간이 시작과 끝이므로 그때마다 열과 성을 다해야만 해요. 당신을 울릴 이별에 지레 겁먹어 움츠리지 말아요. 가진 친절과 다정을 내일로 미루지 말고 당장에 건네기로 해요. 베풀 수 있는 것을 괜히 숨기지 말고, 벅차오른 고마움은 지금 전해요. 소중한 인연과의 시간은 고작 끝에 닿기 위한 여정이 아니잖아요. 정해진 결말에 굴하지 말고 우리만의 아늑한 이야기를 꾸며요.

모두가 언젠가는 헤어져야 한다지만,
지금의 기쁨과 행복과 사랑을 쟁취할 수 있는 순간 또한
지금뿐이에요.

모두가 언젠가는 헤어져야 한다지만,

지금의 기쁨과 행복과 사랑을

쟁취할 수 있는 순간 또한 지금뿐이에요.

함부로 행복하기를

함부로 행복하기를. 견뎌야 하는 밤이 머릿속으로 침범하는 것을 두고만 보지 않기를. 자꾸만 나와 어긋난 채 걸으려는 타인의 무례를 쉽게 수긍하지 않기를. 세상에는 내가 이해해야 하는 영역보다 그럴 필요 없는 것들이 훨씬 많으니.

삶이란 아무것도 하지 않아도 자주 지저분하고 그보다 더 엉망이기도 하지만, 행복과 기쁨만큼은 쟁취하고자 스스로 있는 힘 다하는 사람에게로 먼저 돌아가는 법이다.

행복을 포기하지 말자. 삶에 저절로 빛이 들기를 무작정 기다리는 건 더더욱 말자. 큰 욕심은 아주 버리고, 내 마음이 가진 한계를 인정하자. 나에게 정녕 필요한 것, 단 1초라도 나를 행복하게 하는 것이 무엇인지 신중하게 떠올리

자. 그렇게 체할 일 없는 행복을 좇아 내일로 가자. 내일을 기대하자. 자그마한 것이라도 좋으니. 내일의 끼니를, 내일의 날씨를, 내일의 택배를, 내일의 약속을, 내일의 손님을 한껏 기대하자.

조금씩 갉아먹듯 밝아지다 보면 결국 동이 튼다. 그간 숨어들고 웅크리며 비축해둔 행복으로 향하는 힘을 모두 분출하자. 우리는 행복한 삶을 영위하기 위해 기어코 이 너절한 삶을 이어 붙이며 산다는 것을 잊지 말자. 함부로, 당돌하게 행복해지자.

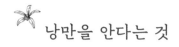

낭만을 안다는 것

가볍고 시시콜콜한 대화보다
깊고 진솔한 대화를 특별히 좋아한다.

쉬이 말 못하는 서로의 고민거리를
더 낱낱이 파고들 수 있고,
줄곧 추구해온 가치관과
좋아하는 음악이나 영화에 대해
시간 가는 줄 모르고 떠들 수 있는 대화를.

이처럼 마냥 즐거운 순간들에
나는 아주 쉽게 사로잡힌다.

대개는 이러한 나의 대화 방식이

지극히 현실적이지 못하다거나,
더 나은 미래를 가꿔가는 데에
아무 쓸모가 없다고들 비아냥거린다.

어쩌다 자신이 좋아하는 예술의 형태와
사랑이며 꽃이며 달이며 별이며 하는
낭만들을 솔직하게 터놓는 일이
환영받지 못하는 사회가 되어버린 걸까.

그래도 뭐 어쩌겠나.

자칫 무의미하게 보이는
대화 깊숙한 곳에서
유의미한 가치를 찾는 사람도 있는 것을.

내가 살아갈 앞으로의 날들에서,
사랑과 낭만의 따뜻한 이야기를
나눌 이들을 더 많이 만나게 되기를
조용히 바라고 또 바랄 뿐이다.

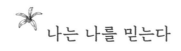 나는 나를 믿는다

나는 특별하고 근사한 사람이다. 나는 이미 이룬 사람이다. 나는 하루도 빠짐없이 성장을 거듭한다. 나는 결코 누군가 대신할 수 없는 사람이다. 나는 분명한 재능을 가지고 있다. 나는 멋진 사람이다.

나는 내게 닥친 모든 문제를 넘어설 수 있다. 나는 모든 어려움을 극복할 수 있다. 나는 혼자여도 주눅 들지 않을 만큼 강하다. 나는 주어진 삶을 사랑한다. 나는 오늘 하루를 좋은 날로 만들 능력이 있다. 나는 결심하면 무엇이든 성공시킬 수 있다. 나는 늘 옳은 결정만을 내린다. 내게는 사람들이 믿고 따르는 긍정과 강단이 있다.

나는 늘 행운이 따른다. 나는 세상에서 손꼽을 만큼의 가능성을 가진 사람이다. 나는 내 삶의 주체로서 나의 모든 방향을 정한다.

나는 충분히 영향력 있는 존재다. 나는 가진 것이 너무나도 많다. 나는 넘치게 사랑받는 사람이다. 나는 괜한 열등감에 고꾸라지지 않는다. 나는 다른 누군가와 나를 같은 선에 올려두고 비교하지 않는다. 나는 슬픔과 좌절조차 원동력으로 삼을 줄 아는 사람이다.

나는 참 괜찮은 사람이다. 나는 나를 사랑한다. 나는 더 많이 이길 수 있다. 나는 내가 그럴 수 있으리라 확신한다. 그만큼 나를 믿는다.

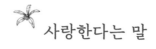 사랑한다는 말

부디 네가 나로 인해 줄곧 사랑받는 사람이기를 소망해.
유연한 마음에서 나온 당찬 얼굴로 이곳을 살아가게 되기
를, 문득 드리우는 슬픔과 고통에서 쉽게 벗어날 수 있기
를, 보통의 일상에도 웃고 떠들 수 있는 순간이 넉넉히 구
비되어 있기를, 그러면서도 아주 가끔은 나의 진정성 있는
사랑을 쓰다듬으며 칭찬해주기를 바라고 있어.

내가 너와 함께 무언가를 하고 싶다거나, 네 아름다움을
예찬하거나, 네가 내 삶의 영향권에 존재한다는 사실 자
체를 과한 감사로 표현하는 것은, 전부 너를 사랑하고 있
다는 말의 대신과 같아. 기쁘고 즐거운 순간에는 전부 너
와 함께이고 싶다는 말이고.

이를테면 주말에는 도넛을 먹으러 가지 않겠느냐는 말. 저녁을 든든히 먹고 심야 영화 한 편 보러 가자는 말. 비가 그치면 후줄근히 입고 산책을 나가자는 말. 오늘은 종일 누워 수다를 떨어대자는 말. 다가오는 주말엔 엄청 매운 닭발에 도전해보자는 말. 밤이 되면 꼭 함께 누워 검정치마의 노래를 오래도록 듣자는 말. 볕 좋은 날에는 캠핑을 떠나자는 말.

언젠가 파리의 강변을 함께 거닐자는 말. 사진에서만 보던 스위스의 광활한 녹지도 두 손 잡고 눈에 담아보자는 말. 나중에는 창을 열면 바다가 훤히 보이는 섬에 함께 살자는 말. 마당에는 파스텔 색깔의 꽃을 잔뜩 심어두자는 말. 네 눈을 가만히 보고 있자면 왜인지 매번 웃음이 나온다는 말. 웃음 말고도 가끔 울음도 함께 터져 나온다는 말. 나에게만 보여주는 율동 같은 춤이 너무나 사랑스럽다는 말.

다음 생에는 너로 태어나고 싶다는 말. 함께라면 도망도 부끄럽지 않을 것 같다는 말. 더한 것도 나는 준비가 되었다는 말. 내 옆이라면 헝클어지고 쓰러져도 괜찮다는 말. 눈치 보지 않아도, 펑펑 울어도, 잔뜩 움츠러들어도, 실수하고 망쳐버려도 다 괜찮다는 말. 슬프고 무너져 내리는 건 전부 내가 해주겠다는 말.

네 삶에 커다란 축제가 되고 싶다는 말. 우리는 서로가 아니었다면 분명 온전할 수 없었을 거라는 말. 많이 좋아한다는 말. 사랑해서 죽겠다는 뻔하고도 장난기 섞인 말들 말이야.

네가 나의 마음을 눈치채지 못해도 여간해선 실망하지 않을게. 내게는 절대 호락호락하지 않은 사랑이자 애틋한 애정이니까. 심지어는 네게 전화를 걸어 여보세요, 인사하는 것부터가 너를 사랑한다는 말에 포함되는 거니까. 내가 누리는 모든 일상에 너를 사랑한다는 말이 담겨 있는 셈이니까. 손에 꼽을 수도, 그렇다고 줄어들지도 않는 무수하고 단단한 사랑을 네게 말하는 거니까.

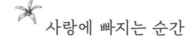 사랑에 빠지는 순간

사랑에 빠지는 계기는 대개 사소한 순간이다.

둘만의 대화 중 어느 한 부분, 똑같이 좋아하는 노래에 동시에 내지른 환호성, 내게 없는 아름다운 생각을 넘치듯 내뱉는 입.

자칫 무관심으로 일관하며 쉽게 넘길 수도 있는 순간이지만, 사랑은 이상하게도 그 찰나를 놓치는 일 없이 황급히 싹을 틔운다. 그리고 그 자그마한 순간들은 발생한 시점부터 점차 긍정적으로 왜곡되기 시작한다.

무수한 별이 수놓인 밤하늘을 잔뜩 뒤집어쓰기도, 형형색색 꽃들이 지천으로 핀 들판을 손 맞잡고 뛰놀기도 하며 더없이 부풀려지고 끝없이 다정해진다. 짤랑거리는 종소리를 똑똑히 들었다고, 초점의 폭이 당신 하나 담으면 가득 찰 만큼이나 좁아졌다고 바락바락 우기게 된다.

사랑에 빠지는 순간은 오직 둘만의 시공간이다. 누구도 개입할 수 없고 나조차도 벗어날 수 없는 곳. 계절의 순서가 무의미한 곳. 인생에 몇 없는 소중한 장면.

우리 언젠가 소홀해지는 날이 온다면 그날을 함께 회상하자. 멋지고 참 예뻤다고, 지금도 그 생각 변하지 않았다고, 많이 좋아한다고, 지치지 않고 여전히 사랑하겠다고 속삭이자.

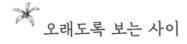

오래도록 보는 사이

나는 우리가 오래도록 봤으면 싶습니다. 시절 일부를 진득이 차지하고 화르르 사라져 버리는 연이 아니기를, 가는 마음과 오는 마음의 격차가 노상 한 뼘 안팎이기를 간절히 바랍니다. 이왕이면 시간이 흐를수록 맛 좋게 발효하는 애정이었으면 좋겠습니다. 우리 사이에 푸른 악취가 진동하는 것은 한낱 상상으로도 고개를 들 수 없는 울음입니다. 흐르는 내내 무덥지 않고 선선할 수 있을까요. 상한 인연이라는 수식은 당최 우리에게 알맞지 않습니다.

나는 매일 당신에게로 걷습니다. 그럴 때마다 드넓은 수선화 군락 안으로 걸어 들어가는 듯합니다. 수선화의 꽃말이라는 고결함과 자존심이 내 발목을 잡아채지만 아랑곳 않고 계속해서 걷습니다. 당신에게로 가는 걸음에는 일말의 고집과 자존심도 챙기지 않습니다. 멈추지 않고 당신에게로, 당신이 향하는 어느 곳으로 함께 발을 구르는 것. 그뿐입니다.

당신이 얼른 이리로 오라는 듯 손날을 펄럭이고, 나는 세상에 그곳이 전부인 것처럼 앞만 보며 걷습니다. 당신은 나를 전혀 다른 세계로 인도합니다. 당신의 언어와 몸짓 그 모든 것이 그렇습니다. 당신은 구슬픈 현실을 깨부수고 바라던 이상을 내게 쏟아붓습니다. 나는 이토록 큰 호사를 오래도록 누리고 싶다는 생각을 합니다. 할 수만 있다면 당신의 능력을 닮고 싶다는, 기꺼이 배우고 싶다는 생각을 합니다.

배움에 대한 열망은 우리의 영원함을 염원하는 마음으로 번집니다. 당신을 오래 봐야 나는 서당개라도 될 것이고, 풍월 같은 능력을 겨우 흉내나 낼 수 있게 되리라 믿기 때문입니다. 혹 조금 더 애쓴다면, 내게도 당신이 닮고자 하는 배울 점이 하나둘 생겨날지도요. 그리하여 관계의 수명이 늘어날지도 모르는 일입니다. 본디 사랑을 포함한 모든 관계의 노화를 늦추는 유일한 것은 상대를 향한 존경이 아닌가요. 나는 당신을 아주 존경하고 있습니다.

우리 오래 봐요. 자주 봐요. 어차피 나는 당신에게서 눈을 떼는 법을 알지 못합니다. 궁상맞게 허리를 숙이고 두 손바닥을 주욱 내밀어서라도, 나를 가엾이 여기게 만들어서라도 당신을 그리 멀지 않은 곳에 두고 싶습니다. 때로는 동정이 사랑 앞에 가히 초월적인 힘을 발휘한다지요. 공평하지 않은 사랑에 어쩐지 처연해지지만, 나는 내가 사각사각 깎여 나가는 것이 한 번도 싫었던 적 없습니다. 되려 명확한 규율이 나를 바로잡습니다. 당신을 사랑하는 것. 당신을 닮으려 애쓰는 것. 언젠가 당신에게 존경받는 사람이될 것. 무엇보다 간단합니다.

그만두자는 말을 먼저 토해내는 일은 일어나지 않을 것입니다. 속이 상하지 않았으니 게워내지 않는 것이 당연한 것처럼. 당신을 사랑하는 일은 방황입니다. 포기하지 않는다면 결국 성장을 이룩해낸다는 공통점을 가졌습니다. 나는 그런 당신과 당신의 사랑을 이용하는 척, 강인하게 성장할 것입니다. 그렇게 당신에게 오래 보고 싶은 사람으로자라날 것입니다. 그런 의미에서 나는 우리가 오래도록 보는 사이였으면 싶습니다.

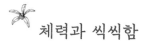 체력과 씩씩함

예전에는 사방으로 다정해야 좋은 사람이 되는 줄 알고
무던히 애썼다. 이제는 다정이며 친절이며 부질없고, 그저
건강하고 씩씩해야 좋은 사람이 될 체력도 생긴다는 걸
알았다. 늘 웃고 다녀도 비난하는 사람은 있다. 그럴 때마
다 기꺼이 받아칠 수 있는 씩씩함만이 최고의 무기다.

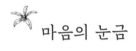 ## 마음의 눈금

연인 사이에서 연락이란
서로에게 주는 신뢰이자
애정의 척도를 증명할 수단이다.

수많은 연인이
다투게 되는 이유 중 하나가
소홀하고 성의 없는 연락이기 때문에.

누군가는 그까짓 연락 몇 번
굳이 신경 써서 하지 않아도
참된 사랑이라면
어떤 형태로든 증명된다 말하지만

사랑이라는 것은
생각만큼 만만한 감정이 아니다.

끊임없이 노력하고 배려하며
거짓 없는 표현으로
깨지지 않을 믿음을 상대에게 줘야 한다.

어디서 무엇을 하고 있는지,
점심에는 무엇을 먹었는지,
누구랑 만나는 저녁 약속인지
잊지 않고 알려주는 것.

연락이 되지 않을 상황이 닥친다면
충분히 이해할 수 있도록
상대에게 미리 알려주는 것.

이 모든 것들이
마음에도 없는 억지로 이뤄진다면
결국은 관계에 지치고 말겠지만,

진심으로 안부를 궁금해하고
나의 일상을 가감 없이 알려줄 수 있다면
서로가 떨어져 있는 순간조차도
진득한 마음을 건넬 수 있다.

그러니 연인 사이에서 연락이란,
사람과 사람을 이어주는
매개체이기 이전에
사랑의 수치를 알려주는 눈금이다.

당신은 끙끙 앓지 않아도 펼쳐지는 마음

책갈피가 없는데도 거짓말처럼 찾아지는 페이지

나는 너랑 노는 게 제일 좋아

나는 너랑 노는 게 제일 신나고 좋아. 너랑 마주 앉아 도란
도란 커피 마시는 거, 너랑 별도 다 저문 늦은 밤까지 함께
영화 보는 거, 너랑 제철 음식을 찾아 맛있게 밥 먹는 거,
너랑 새붉은 얼굴 하고서 잔잔히 술 마시는 거. 어느 하나
즐겁지 않은 게 없거든.

너랑 길거리에서 산 붕어빵이며 다코야끼며 하는 간식 한
봉지에 기뻐 어쩔 줄 몰라 하는 것도, 너랑 하늘 같은 색깔
의 바다를 눈으로 걸어보는 것도, 누가 더 우스꽝스러운
표정을 잘 지을 줄 아는지 내기하며 첨벙첨벙 웃어대는 것
도, 우연히 흘러나오는 어떤 노래에 삐거덕거리는 팔다리
로 용케 합을 맞춰 춤을 추는 것도 전부 다. 모든 찰나가
꼭 아이였던 때의 가장 깨끗하고 순수했던 놀이인 것만
같아.

이따금 일그러진 얼굴로 다툴 때도, 우리는 우리만의 무수한 기쁨과 예쁨으로 갑자기 돋은 미운 마음을 단숨에 이겨버리지. 금세 더 두터운 사랑으로 되돌아갈 것을 잘 아는 미움은 하나도 무섭지 않잖아.

그러니 우리 자주 만나. 눈이 오거나 비가 올 때, 날이 참 좋거나 달이 예쁜 밤에. 별의별 핑계를 전부 긁어모아서라도 틈만 나면 만나서 같이 놀아. 그래야 정이란 것도 펑펑 쌓일 테니까. 이왕이면 너와 걷잡을 수 없을 만큼 많은 정이 들어서, 갈라서려야 그럴 수 없는 끈끈한 사이가 되고 싶거든.

그러기 위해서는 우리 오늘도, 내일도, 모레도 만나서 오래도록 웃고 떠드는 게 좋겠어. 틈날 때마다 만나서 지겹도록 세게 껴안아보기도 하자고. 사랑해, 사랑해, 하는 말로 매번 높은 온도의 애정을 확인해보자고.

진심의 힘

진심으로 누군가를 좋아하게 되면, 나 또한 그 사람에게 더 좋은 사람이 되고만 싶어진다. 온종일 그가 나를 찾아 주기만을 오매불망 기다리게 되는 것과 동시에, 내게 주어 진 하루를 더 열심히 살며 멋진 사람이 되려고 힘껏 노력 하게 되는 것처럼 말이다.

이는 억지스러움과는 꽤 거리가 있는 일이다. 골머리를 앓 으며 애쓰지 않더라도, 자연스럽게 생각하고 행동하게 되 는 법이니까. 아무도 시키지 않았고 등 떠밀지 않았지만, 평소였다면 시도조차 하지 않았을 일 앞에 무척이나 도전 적이고 상기된 모습으로 임하게 된다. 그 사람에게 조금이 라도 더 가까이 닿을 수 있다면, 꺼내놓을 수 있는 나의 장 점을 하나라도 더 만들 수만 있다면 세상에 못 할 것이 없 는 사람이 되는 것이다. 그러한 과정에서 몸과 마음의 휘황한 성장은 물론, 세상을 보다 싱그러운 눈으로 내다볼 수 있게 되는 관대함을 쟁취하기도 한다.

실로 사랑은 그렇다. 당신을 만남으로 인해 더 나아지는 스스로를 목격하게 되는 것. 당신이 행복해하는 모습을 볼 때면 나도 가득 행복해지고, 우리가 더 애틋해질 수 있는 방향으로 발맞춰 천천히 나아가게 되는 것. 이 세상에 나 이외에 소중한 사람이 한 명 더 늘어나게 되는 것. 더는 초라한 모습으로 차가운 어둠에 갇히는 일 따위 겪지 않아도 되는 것. 무엇보다 서로의 삶에 한 줌 향긋한 흔적으로 남을 수 있는 특권을 가지게 된다는 것.

진심으로 누군가와 사랑을 나눈다는 건, 거부할 수 없는 따끈한 온기를 품게 되는 일이다. 신기한 경험이 아닐 수 없다. 적지 않은 이기심을 가졌던 내가, 나의 행복만큼이나 타인의 행복을 빌어주게 된다는 게. 초라하거나 고통스럽지 않은 낮과 밤이 날마다 약속이라도 한 듯 찾아오는 게. 그리고 날씨가 퍽 온온해진 지금, 바로 지금이 그 사랑 마음껏 펼치기에 가장 알맞은 순간이 아닐까 생각해본다.

초록빛 유월에 나는 당신만을
울창히 사랑해요

몇 날 며칠 부풀어 오른 햇빛이
장대비에 전부 젖어버린 날에도
짙푸른 눈으로 당신만을 생각해요.

비가 그친 후에야 차르르 들려오는
천진한 잎사귀들의 손뼉 치는 소리
등 뒤편 건넛방에서 동시에 울리는 웃음

당신이 옆에 있는데도 나는
표백된 깨끗한 마음으로 당신만을 생각해요.

유월의 초입에는 여름처럼 걷는 법을 배우고
창밖으로 뻗은 안광과 평행하는 맑은 하늘

평화로운 날에 힘입어 나는 당신만을 생각해요.

온종일 쌓인 꽃 냄새가 콧잔등을 한 뼘씩 덮치고
대낮의 숨이 살금살금 저무는 시간
나는 비로소 여름의 자락에 걸터앉았음을 실감하고,

당신은 내 무성한 비틀거림을
끝도 없이 부축하는 용감한 사랑

사랑
사랑
지천에 흐드러진
사랑

울음 참듯 배운 걸음에서 여름 같은 소리가 나고
걸음마다 자라나는 줄기, 피어나는 꽃, 사랑처럼 선명히

몇 날 며칠 구르고 시달리며 닳는다 한들
하나도 뭉툭해지지 않는 이 사랑을 등에 업고
나는 조금 우스워도 멀쩡한 마음으로 당신만을 생각해요.

온갖 초록이 생명을 서너 개쯤 갖게 되는 유월
곤히 잠든 당신의 눈썹과 자그마한 귀
숫자처럼 구부러진 윗입술 그리고 흥건한 입속
그 모든 것을 조금 전 주워 담은 빛으로
한 차례 따라 그려보고는,

우우 소리를 크게 내며
여름처럼 당신만을 생각해요.

울창히 사랑해요.

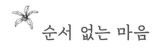 순서 없는 마음

사랑에 이유를 묻고 번호를 매기며 순서를 정하던 어리석음이 있었습니다. 사랑은 그저 사랑이라는 것을, 내가 당신을, 당신이 나를 사랑하게 된 것은 무엇의 탓도 아니라는 것을 이제는 알고 있습니다. 우리의 삶에 수시로 다채로운 사랑이 들이닥치는 것 또한 어쩔 수 없는 순리입니다.

그냥 오는 거예요, 사랑은.

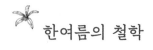# 한여름의 철학

넉살 좋은 여름이 팔랑이며 눈앞을 날고
불쑥 뒤따라 뭍으로 나온 신선한 순간들.

그 미끄덩한 것을 집어 들어 한입에 넣고 오물거리면
이곳은 알알이 달콤하기만 한 때로 둔갑하고 맙니다.

슬픔에 힘입어 과거를 애써 들춰내지 않고
불안에 떠밀려 괜히 미래를 넘보지 않으며
오직 지금 이 순간에 머무를 줄 아는 것.

여름의 선명한 흥분 속에서만 수확할 수 있는
귀하디귀한 초록빛 배움입니다.

당장 눈으로 보고 귀담을 수 있는
이 순간만을 애틋이 여기며 살아가는 것.

마음에 모진 짐이 없는 이들이
여름을 현명히 나는 법이라 했습니다.

이 계절은 내가 그런 사람일 수 있게 하는
도움의 순간들이 지천에 흐드러져 있습니다.

내가 안정된 사람이 되고 싶어지는,
의심 없이 좋은 사람이 되고 싶어지는 계절.
참 괜찮은 여름입니다.

자꾸만 이 다정을 믿고 싶어진다.

당신만은 나와 비슷한 사람이기를,

부디 누군가를 쉽게 떠나지 않는 사람이기를.

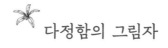# 다정함의 그림자

누군가 갑작스럽게 친절을 베풀거나 애정을 표현하면 불쑥 의심부터 돋곤 한다. 마냥 받아들여 기뻐하고 싶다가도, 관성에 의해 금세 몸과 마음이 의심의 세계로 빠르게 돌아간다. 그가 나에게 적극적으로 다가오는 이유를 쉴 새 없이 가정하며 나열하다, 낯익은 수렁에 빠져 침잠하는 일을 몇 번이고 반복한다. 지독한 천성이자 사람에게 무수히 할퀴어졌던 아픈 과거의 연장선이다.

당신이 내게 이리도 잘해주면 나는 또 앞뒤 분간 못하고 정성을 쏟을 텐데. 비밀 따위 없이 간이며 쓸개며 중한 것들을 모조리 가져다 바칠 텐데. 그러다 결국 찬 바닥에 버려져 널브러질 것을 잘 알고 있는데.

내가 가진 마음의 절반 이상을 내어줬던 이들 중, 열에 아홉은 처음과 다른 표정을 입고서 매몰차게 돌아섰다. 사람이 들었다 난 자리는 어찌해도 원래의 모습으로 돌아가는 법이 없었다. 아무리 같은 상처가 반복된다 해도 익숙해질 기미는 보이지 않았다. 타인의 친절과 호의를 곧이곧대로 받아들일 수 없는 것은 경험이 준 천성이다. 경적도 없이 들이닥친 사나운 자동차와 조금도 다를 게 없다.

그럼에도 나는 달콤한 다정 앞에서 또 주저하고 만다. 시간이 흐를수록 의심은 잦아들고 기대가 몸집을 키운다. 이번만큼은 정말이다, 다시 문을 활짝 열고 이 사람을 내게 들이자, 하며 환희한다. 지독한 천성이 제멋대로 동한 것이다. 지나치게 정이 많은 마음이 또 첨벙첨벙 들끓는 것이다. 몇 번을 다치고 얼마나 많은 상처가 쌓였든 괜찮다고 여기게 된다. 더는 이래선 안 된다고 되뇌면서도 자꾸만 이 다정을 믿고 싶어진다. 당신만은 나와 비슷한 사람이기를, 부디 누군가를 쉽게 떠나지 않는 사람이기를, 하면서.

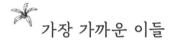 ## 가장 가까운 이들

사실 나에게 깊은 상처를
가장 쉽게 줄 수 있는 사람은
나와 깊은 관계에 엮인 채로
아주 가까이에 있는 사람이다.

인정하고 싶지는 않지만
지금껏 나의 삶이 망가질 때마다
아픈 사건의 중심에는
늘 소중했던 사람들이 버젓이 서 있었다.

그렇다고 지레 겁먹어
내게 마음을 불쑥 건네며
함께 가려는 사람들을

이유 없이 내칠 수도 없는 노릇.

누군가를 잘 아는 만큼
상처를 줄 수 있는 비밀 열쇠를
더 많이 쥐게 되는 이상한 현실.

하지만 서로의 지친 삶에
언제든 치유를 주고받을
값진 인연이 있다는 사실 하나만으로도

당장에 눈물을 쏟아버릴 것 같은
버거운 세상에서
굳건히 버텨낼 이유가 된다.

인간관계는 참으로 잔인하면서도
쉽게 등질 수 없는
눈부신 매력을 가지고 있다.

상처받고 싶지 않은 마음이야
누구에게나 진종일 일렁이겠지만

부디 나에게만큼은
그러니까 나와 너에게만큼은
상상조차 하기 싫은 일이
일어나지 않기만을 바랄 뿐이다.

나와 가까운 이들과는
아픈 상처 따위 생각지 않아도 되는,
양껏 힘이 되어주는 관계이기를.

 마음의 기둥

언젠가 겪게 될 무너짐을
가장 최소화하기 위해서
내 마음이 의존할 기둥을
가능한 한 많이 만들어둘 것.

푹 잠겨 감상할 음악과 영화
한입 가득 머금은 자체로 기쁨인 음식
몇 걸음 거닐지 않아도 안식을 주는 산책로
도망치듯 달려가 만날 수 있는 사람들
언제고 위태로울 때 바로 기댈 수 있는
나의 기둥들을.

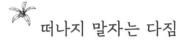 ## 떠나지 말자는 다짐

이제 그만 떠나려 했던 때가 있었다. 치사하게 도망치고 숨어드는 건 진절머리가 나던 차였다. 방 한쪽에서 혼자 숨죽여 우는 것 외엔 달리 할 수 있는 것이 없어 더욱 버거웠다. 세상을 살아가는 모든 이들에게 필연적으로 닥쳐오는 상실과 슬픔, 공허와 무너짐을 마주하기에는 내가 너무 무른 탓이었다.

하루는 모든 것이 그저 한여름 곤히 낮잠을 자는 어린 시절 꿈이기를 바라기도 했다. 잠에서 깨면 내일은 무얼 하고 놀지 생각하는 것만이 유일한 고민이었던 그 시절의 나로 눈 뜨게 해달라고. 그때마다 나는 간절함과 현실의 간극 앞에 철퍼덕 넘어져야만 했다.

스스로 파도가 되어 하얗게 사라지려 했던 건, 정말 삶을 등질 용기를 동반했을까. 여전히 풀리지 않는 난제로 남아 있다. 명쾌하게 해결된 것 하나 없지만 언제 그랬냐는 듯 또 살아 숨 쉬고 있다. 헝클어져도 된다고, 슬퍼도 되고 엉망이어도 된다고, 도망쳐도 되고 살아내도 된다는 말을 습관처럼 되뇌면서. 누구나 한 번쯤은 저마다의 구렁텅이를 목격하고야 만다는 사실에 어설픈 위안을 얻어가면서. 이름도 얼굴도 모르는 그들과 알게 모르게 위로를 주고받는다. 괜찮다고. 정말 다 괜찮다고.

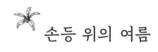 손등 위의 여름

너무 맑은 빗물 한줄기가
미안하다는 얼굴로 손등에 툭 자리 잡았다

나는 손등만큼만 으슬으슬해진다
여름 한 줌이 차갑다가 달갑다가 한다

내가 섬기던 사람이 개굴개굴 울어대다
한줄기 빗물로 나를 야금야금 삼킨다

그 사람은 이곳에서 온통 여름이고
모든 여름이 내 손등에 집을 짓는다

너무 아프다

내 편

어떠한 상황에 부딪혀도
긍정적으로 생각하고 말하는
습관을 길러야 한다.

"오늘은 정말 형편없는 하루였어."
내뱉는 대신에,
"그래도 이 정도면 잘 살아낸 하루였지."
안도하는 것.

"그새를 못 참고 또 먹어버렸네."
자책하기보다,
"맛있었으면 된 거지 뭐."
웃어 보이는 것.

구름 한 점 없는 하늘을 보거나
길에서 귀여운 동물 친구들을 만나면
무척 관대한 말을 하는 내가,

정작 시무룩해진 스스로를
다독여줘야 할 때면
왜 그렇게 박한지 모르겠다.

밝은 사람이 가진
울창한 숲과 같은 에너지는
타고난 것이 아니라

부지런히 맑은 물과 햇빛을
길어 올린 노력의 결과물이다.

혼잣말이라도 괜찮으니
잘했다고, 자랑스럽다고,
잘하고 있고 수고 많았다고,
언제든 자신에게 말해주는 것.

나의 몸과 마음이
탈 없기를 진심으로 바란다면
누가 뭐라 해도
나만큼은 내 편이 되어줘야 한다.

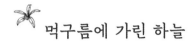 먹구름에 가린 하늘

자신의 존재 가치를
스스로 의심하는 일은 없어야 한다.

잿빛 먹구름이
하늘을 온통 뒤덮는다 한들

그 너머의 색이 푸르다는 사실은
어찌해도 변함없는 법이니까.

소중한 가치의 표면에 지저분히 쌓여 있는
타인의 불신과 비난을 모두 걷어내면,

그 속은 분명

새파란 하늘처럼
맑고 쾌청할 것이다.

의심하지 말자.
적어도 나의 불신으로 인해
먹구름이 만들어지지 않도록.

틀림없이 매력적인 향을 품은
꽃으로 활짝 피어날 수 있다.
그만큼 반짝이고 있다.

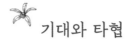

기대와 타협

바라는 게 많았기 때문에 늘 서운하고 불행했다. 내가 바라고 소원하는 건 매번 현실보다 한 걸음 너머의 것이었다. 손에 쥐이지 않을 때마다 초조했고, 움츠렸고, 이내 불행에 휩싸였다. 내 귀중한 시간이 부정적 감정들에 으득으득 집어삼켜지는 것을 넋 놓고 바라보기만 했다. 타고난 우유부단함으로 바로잡을 기회를 몇 번이나 놓치기 일쑤였다. 지독한 자기 연민과 지나친 자기애의 산물이다.

무엇 때문에 좀처럼 현실과 타협하지 못하고, 타협하지 못한 내 잘못을 제때 꾸짖지 못하는가. 왜 타인의 치부를 들쑤시는 일에는 한 치의 망설임도 없었으면서, 나를 고치려 드는 일에는 지레 겁부터 먹는가. 아무도 더 완벽하게 이뤄내야 하고 실패하는 일이 없어야 한다고 강요한 적 없지만, 나는 습관처럼 담장 너머를 몰래 기웃거리는 도둑인

양 저 멀리 있는 것을 탐했다.

불행과 행복 사이의 종잇장만 한 간극을 생각한다. 똑같은 상황에서 마음가짐 하나 달리한대도 곧장 정반대의 것으로 둔갑하는 것이 불행과 행복이다.

모든 것이 마음대로 움직여주리라 믿는 것은 당연히 치기 어린 마음일 뿐이다. 적당함과 이해를 유연하게 섞을 줄 아는 태도가 필요하다. 적당히 바라고 적당히 애쓰며, 그럴 수밖에 없는 이유를 주어진 현실에 근거하여 이해하려는 자세. 둘러보면 지금 이 순간에도 행복을 쟁취할 수 있는 부분이 분명 있다. 구태여 탐내지 않아도 나를 만족시킬 것들이 욕심의 뒤편에 존재한다.

너무 바라니 서운하고, 너무 기대해서 넘어지는 것이다. 타협해도 된다. 적당한 선에서 멈추고 이해하는 것은 패배가 아니다.

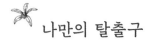

나만의 탈출구

산산조각이 나지 않고 보란 듯 살아내기 위해서는 저마다의 탈출구가 필요하다. 특별하다고 말할 것도 없는, 끼니를 챙기는 것만큼이나 평범하지만 손금처럼 고유한 일. 이를테면 계절감이 콧잔등을 물씬 찔러오는 가로수 아래를 찬찬히 걸어보는 것. 길에서 맞닥뜨린 꽃가게에 들러 제철인 꽃 몇 송이를 데려온다거나, 회갈빛 담벼락을 휘감고 올라 핀 꽃을 카메라에 눌러 담는 것.

비 쏟아지는 날엔 처마 밑에 우두커니 서서 억수 같은 소리를 만끽하다 손을 불쑥 내밀어 차가운 빗물을 기꺼이 품어본다. 무작정 집을 나서 낯익은 음악을 귀에 얹고는 가까운 서점을 향해 걸음을 내디딘다. 마음이 동하는 책을 한 권 고른 다음, 단골 덮밥집에 들러 잔뜩 주린 배를 채운다. 다음에 또 올게요. 친절히 돌아오는 늙으신 사장

님의 익숙한 눈인사. 문득 안부가 궁금해지는 사람들의 이름을 나열해보다 홀린 듯 걸어본 전화 한 통. 산다는 게 다 그런 거 아니겠니, 오랜 친구의 점잖은 푸념이 수화기 너머에서 들려온다. 그래, 또 연락하자. 행복하게 살려고 노력하는 거 잊지 말고. 나는 네 편이라는 것도 잊지 말고. 통화가 끝난 휴대전화 화면과 주홍빛으로 저무는 석양을 번갈아 내다본다. 집으로 돌아와 콧노래를 크게 흥얼거리며 몸을 깨끗이 씻는다.

어느덧 물결 하나 없이 잔잔해진 마음의 못. 평안과 불안 사이에는 고작 나뭇잎 앞과 뒷면 정도의 간극만이 있어서, 가벼운 입김 한 모금으로도 곧 뒤집을 수 있다. 삶에 닥친 고통의 근간을 완전히 잘라내지 못할지라도 당장에 쓰라린 가슴께를 정성스레 문질러주는 일. 꽤 따뜻한 일상. 나만의 탈출구. 손쉬운 천국.

너무 바라니 서운하고,

너무 기대해서 넘어지는 것이다.

타협해도 된다.

적당한 선에서 멈추고 이해하는 것은

패배가 아니다.

나만 이상한 게 아니었구나

이 세상에 결코 내가 혼자가 아님을
알게 해주는 사람이 좋다.

내 마음을 알아주는 깊은 배려로
지금 내가 느끼는 이 불안과 고통이
나만의 것이 아님을 깨닫게 해주는 사람

유별나다 할지라도
내가 마음 다해 좋아하는 것들을
함께 힘껏 좋아해주는 사람

나와 비슷한 아픔을 가지고 있거나
나와 같은 이유로 힘들어하거나

나만 좋아한다 생각했던 음악이나 영화를
자신도 좋아하고 있다 고백하는 사람의 존재는

그 어떤 응원보다도
훨씬 커다란 위로가 된다.

한때는 흔한 위로의 말조차도 간절했던 탓에
온갖 노력을 다 쏟아가며 애썼던 적도 있지만
이제는 그럴 필요가 없다는 것을 안다.

나만 힘든 게 아니었구나.
절대 내가 이상한 게 아니었구나.
생각하게 되는 것만으로도
내 삶에 덕지덕지 붙은 외로움이
조금은 떨어져 나가기 마련이니까.

그러니까 나는
이렇듯 지나치게 차가운 세상에서
서로의 치유이자 닮은꼴이 되어주며
함께 꾸역꾸역 버텨내는 관계가 좋다.

그리고 이제부터는 꼭
내가 혼자가 아님을 알게 해준 사람에게
당신 또한 절대 이곳에서 혼자가 아님을
분명히 알게끔 해주고 싶다.

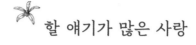

할 얘기가 많은 사랑

마음 깊이 사랑하는 사람을 하늘로 먼저 떠나보낸 이의 심정은 도대체 얼마큼의 진폭으로 사정없이 일렁이는 것일까.

즐겨보는 예능 프로그램에서 안타까운 사연을 이야기하는 일반인 출연자를 보았다. 그는 36년간 몸담았던 직장에서 정년퇴직을 하게 된 가장이었다. 평생을 함께 하자 약속한 아내도 같은 직장에서 만나 결혼까지 했으니, 그에게 직장의 의미는 무척 남달랐으리라 짐작해본다.

그는 여느 평범한 중년 남성의 허심탄회한 이야기를 하다, 별안간 아내가 더는 볼 수 없는 곳으로 떠나버렸다는 말을 꺼내며 눈시울을 붉혔다. 그리고는 사랑하는 사람을 아무 힘없이 떠나보냈다는 상실감 탓에, 사실 정년퇴직을 하게 된 상황의 의미를 생각할 겨를이 없다고 했다. 그의 사연에 나도 코끝이 시큰해지며 눈가가 눅눅하게 젖어들었다. 그렇게 두루뭉술 맴돌던 눈물은 아내에게 보내는 그의 영상 편지를 마주하자, 끝내 왈칵 쏟아져 나오고 말았다.

그가 아내에게 건넨 짙은 마음에는, 내가 아는 진심이란 진심을 모조리 눌러 담아 내뱉는대도 감히 흉내조차 낼 수 없는 문장들로 가득했다. 나는 편지가 흘러나오는 장면을 몇 번이고 다시 돌려 보며, 차마 다 헤아리지 못할 그의 펄떡이는 심장부를 잠시나마 엿볼 수 있었다. 영상에서는 김동률의 〈잔향〉이 배경음악으로 잔잔하게 흘러나왔다. 노랫말이 꼭 그의 마음을 대변해주는 것만 같아, 더 농도 짙은 울음을 자아냈다. 저 먼 하늘에서 먼저 터전을 꾸리고 기다리고 있을 아내에게 그가 건넨 말은 이러했다.

"사랑하는 아내. 나란 사람 만나서 6년 연애하고 29년 동안 우리가 부부로 살았어. 인생 살다 보니 이런 일 저런 일도 많이 겪었고, 같이 살면서 나는 그대와 같이 살았던 시간들이 내 몸속에 다 녹아 있어. 행복했어. 자기가 걱정하지 않게 아이들 잘 뒷바라지하고, 하늘에서 만났을 때 나 이렇게 살았다고 자랑할게. 그때 다시 만나면 말 많다고 흉봐도 좋아. 할 얘기 많이 있어."

그대와 함께한 모든 순간이 나의 몸에 전부 녹아 있다는 말. 단 한 문장에 진심을 담아 입 밖으로 꺼낼 수 있는 사람이 세상에 몇이나 될까. 또 "그때 다시 만나면 말 많다고 흉봐도 좋아. 할 얘기 많이 있어"라는 말은, 도대체 얼마큼의 사랑과 그리움이 담겨 있어야만 소리 내어 읊을 수 있는 걸까.

이렇듯 우리의 마음을 울리는 가장 좋은 말과 글은, 그 무엇도 아닌 평범한 사람의 진심에서 우러나온 평범한 마음일 것이다. 그가 아내에게 하고 싶은 이야기는 삶의 마지막 순간까지 속에 꾹꾹 눌러 담으며 참아야만 하는 안녕과도 같음을 안다.

사랑은 늘 내 안에서부터 무럭무럭 번져 상대방의 삶 전체에 무성하게 자리 잡는다. 걷잡을 수 없이 자라난 감정은 머지않아 믿기지 못하도록 넓은, 행성보다도 더 커다란 숲을 이루고 만다. 그렇기에 사랑은 우리가 아무리 평생을 거닌다 해도 결코 다 알지 못한다.

엄마에게

엄마. 엄마 아들은 더디지만 걷고 있어. 훌륭하고 멋진 사람은 아니더라도, 나와 가장 가까운 사람이 되려고 애쓰고 있어. 동시에 사랑스러운 사람이 될 수 있다면 더할 나위 없을 거야. 이젠 돈벌이가 시원치 않더라도 겁에 질려하지 않아. 나에게는 내 몫의 행복이 있을 테니까. 글을 쓰고, 밥도 제때 먹고, 집을 환기하고, 하얀 행주를 삶고, 강아지와 산책하고, 말을 아낀 채 남은 밤을 보내는 것. 이것만 잘 마친다면 나는 또 내일을 맞이할 여유를 얻어내니까.

꾸며내는 일도 이제는 그만해야지. 꽉 찬 하루가 모두 내것일 수 있도록. 질투를 거두고, 자책을 멈추고, 슬픔이나 걱정 따위의 감정과 공존하되 잠식되거나 태도로 치환하지 않아야지. 너무 힘에 부치면 다 그만둬도 된다던 엄마의 짧은 한마디를 구원 삼아 또 살아볼게. 정말로 그만두

는 일 없을 테지만 언제든 돌아갈 곳이 있다는 사실만으
로도 나는 뜀박질로 갈 수 있을 거야. 건강도 잊지 않을게.
마음도 넉넉하게 비워둘게. 무엇이든 유연하게 바라보고
품어볼게. 엄마가 평생을 건넨 애정에 힘입어 매 순간 사
랑받는 기분으로 존재할게. 어디서든 내가 자랑스러울 수
있게 힘써볼게.

우리 마지막 도착지가 있다는 사실을

말끔히 잊으며 살아요.

지금이 전부인 것처럼 사랑해요.

복잡하지 않아도 괜찮아

인생을 너무 복잡하게 여기지 않기로 했다. 당연하지만 또 당연하지 않은 것들을 옆에 둔 사실만으로 만족하면서. 내게 오는 고통을 못 본 척 눈 감기도 하고, 맛있는 음식으로 배를 불리고, 몸과 마음만을 위한 휴식을 갖고, 좋아하는 사람을 만나러 힘껏 달려가기도 하면서.

민들레 꽃씨처럼 훨훨 가볍게 살고 싶다. 그 과정에서 잃고 마는 것들도 감당할 수 있으니. 남들처럼 쭉 뻗지 못하고 고여 있으면 어떤가. 고인 자리에서, 멈춘 그 자리에서 나름대로 성장을 이룩하면 되는 일이다.

불행보다 여유가 흐드러진 세상에서 조금 천천히 어른이 되면 될 일이다. 살아간다는 행위 자체에 부담을 덜고 싶다. 단순하게, 잘 먹고, 잘 놀고, 잘 쉬고, 가끔 내게 주어진 소임을 다하면서 살고 싶다.

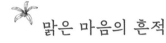# 맑은 마음의 흔적

존중과 배려가 기저에 깔린, 사람다운 사람이 좋다. 매사에 말을 예쁘게 다듬어 입 밖으로 낼 줄 아는 사람이. 뱉은 말의 수려함 만큼, 그에 따르는 태도 또한 기분에 따라 오르내리지 않고 정갈한 사람이.

불필요한 고집의 적당한 경계를 알고, 의견이 다른 상대방과의 대화도 꺼리지 않는 사람이. 흐리터분한 내 삶이라도 범상치 않다는 듯 유심히 들여다봐주는 사람이. 고마움과 미안함을 표현하는 데에 일체 머뭇거림이 없는 사람이. 사랑이며 슬픔 같은 귀한 마음을 애태우는 일 없이 잘도 꺼내놓는 사람이. 타인을 대하는 말과 행동에 섣부른 악의를 섞지 않는 사람이. 나조차 알지 못했던 나의 장점을 들뜬 음성으로 나열해 보이는 사람이. 함께하는 순간이 꼭 어떤 무릎 베고 쉬는 듯 안심되는 사람이. 짧지만 묵직한 응원으로 나를 몇 배는 용감하게 만들어 주는 사람이.

다정이 습관으로 밴 사람의 든든한 챙김이 좋다. 그 보호 아래 나는 조금 더 나은 사람이 되고는 한다. 나의 자랑거리. 아주 먼 훗날, 내 삶에도 맑은 물이 충분히 흘렀음을 증명해줄 깊은 흔적. 몹시 고마운 사람.

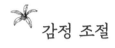 감정 조절

문득 감정 조절의 강요에 대해 생각해봅니다. 건강한 마음, 매사에 밝은 기분, 슬픔의 배제. 우리는 알게 모르게 우울과 고독과 쓸쓸함 같은 감정들을 떨쳐내도록 강요받고 있다고요. 하나 그 감정들에 동요될 때 이뤄지고야 마는 것들을 생각하면 슬픔에서 파생된 감정들을 무조건 배척할 필요는 없다고 여깁니다. 낮고 어두운 곳에 닿아서야 비로소 본연의 모습을 자유롭게 펼칠 수 있는 이들도 있으니까요.

어떠한들 다 괜찮은 겁니다.

건강한 소원

하늘에 비는 소원의 대부분이
지나친 감정 기복을 없애달라는
부탁이던 때가 있었다.

감정의 굴곡이 줄어들어
침울해지는 순간이 사라지면
더없이 행복해지리라 여겼으니까.

그러다 문득 이런 생각이 들었다.

감정 기복이 사라지면
부정적인 마음만 없어지는 게 아니라,
종종 즐거움에 몸 둘 바 모르던

환희의 순간도 전부 사라지는 게 아닌가?

그러자 우울했던 것만큼
반등하듯 찾아온 행복에
춤이라도 추고 싶어지던 그 순간이
새삼스레 소중해졌다.

밤의 존재 덕에 아침이 있듯이
겨울의 매서운 추위가 있어
봄의 따스함이 더욱 포근하듯이

끝이 없을 것 같은 우울 덕에
힘겹게 맞이한 행복이
더욱 굳건할 것일 테니까.

그래서 이제는 어떤 우울도 괜찮으니
그 우울 탓에 내 소중한 사람들이
고통받는 일 생기지 않도록
튼튼한 마음을 갖게 해달라는 소원을 빈다.

어두워진 나의 모습조차 기꺼이

인정하고 사랑하도록 노력할 테니

큰 행복의 차례가 왔을 때

사랑하는 이들과 함께 기뻐할 수 있게 해달라고.

1장 ∘ 오늘 하루가 내내 편안하기를

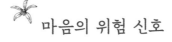

마음의 위험 신호

마음이 은연중에 내게 보내는 위험 신호를 가벼이 여겨서
는 안 된다. 풀이 죽은 마음은 대개 일상의 사소한 습관을
전면 멈추게 한다. 시간 맞춰 해내던 운동, 주변 사람들과
틈틈이 갖던 만남, 하루 새 어질러진 집을 부지런히 청소
하는 일과 적당한 음식으로 끼니를 때우는 일처럼 보통의
삶을 영위하기 위해 애써 이어오던 루틴을 몽땅 후순위로
밀어낸다. 일그러진 마음이 자신을 돌보기 위해 잠시 문을
걸어 잠그는 것이다. 괜한 일에 힘을 쏟지 않도록. 더 이상
의 무너짐을 감당하고 싶지 않기에.

마음이 내게 이와 같은 신호를 반복적으로 보낼 때는 적
극적으로 동참해야 마땅하다. 널브러진 이부자리 위에 진
종일 누워있어도 좋고, 미뤄왔던 잠을 너무하다 싶을 만

큼 푹 자도 좋다. 아무런 생각과 행위도 않은 채 미동 없이 쓰러져 있어도 괜찮다. 육체적 피로와는 별개로 마음에 충분한 쉼을 주는 것이다. 다시금 뜀박질로 보통의 삶을 향해 나아갈 수 있도록. 마음도 정리와 위로의 휴식이 간절할 때가 있는 법이다.

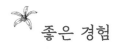 좋은 경험

긍정을 습관으로 만드는 데서 오는 힘을 의심하지 않는다. '나는 할 수 없을 거야' 대신 '한번 시도라도 해볼까'라고, '또 내가 다 망쳐버렸네' 말고 '그래도 나쁘지 않은 경험이었다'라고, '되는 일이 하나도 없네'보다는 '무엇이 문제였는지 알아봐야지'라고 의식하며 말하는 것. 같은 문제에 직면했을 때 떠올리는 생각과 내뱉는 말 하나 바꾸는 것만으로도 불안과 초조함은 대부분 사라진다.

무언가를 해내고만 싶을 때도 마찬가지. 할 수 없을 것 같은 마음과 행동으로 옮길 준비가 되지 않았다는 태도부터 완전히 뒤집어야 한다. 세상에 영원히 나를 기다려주는 기회 같은 건 존재하지 않으니까. 어떤 결과가 나오든 도모하는 일을 행하는 순간부터 자신감과 열정이 뒤따르기 마련이니까.

생각해보자. 우리가 살아오며 했던 후회 중 제일 큰 비중을 차지하는 것이 무엇인지. 시도하지 않고 지난 시간으로 떠나보낸 일이, 행동하며 넘어지고 좌절했던 순간보다 오랫동안 나를 괴롭힌다. 적극적으로 내 인생에 임하자. 된다면 마냥 좋은 것이고, 안 된다면 그 또한 좋은 경험이었다 여기면 되는 일이다.

괜찮다고 말해주고 싶다

그냥 괜찮다고 말해주고 싶다. 사사로운 일에 예민해진 당신에게, 모진 인간관계에 풀썩 지쳐버린 당신에게, 누군가를 잃어 내려앉을 듯 슬픈 당신에게. 잠시라고, 그저 잠시뿐이라고, 분명 다 괜찮을 거라고 말해주고 싶다. 병들지 마, 무너지지 마, 하고 울분이라도 터트리면서.

괜찮다. 괜찮다. 그냥 다 괜찮다고 말해주고 싶다. 사방에 널브러진 작은 행복들을 곡식처럼 그러모아 주린 마음을 듬뿍 채워내라고. 삶은 늘 그렇듯 조각조각 괜찮은 것들을 주워 담아, 슬픔을 호주머니 바깥으로 차차 밀어내는 거라고. 도무지 이겨낼 용기가 나지 않더라도, 제자리를 찾아갈 엄두조차 나지 않더라도, 우중충함이 쉬지 않고 장대비와 천둥 번개를 퍼붓는다 해도 괜찮다고 말해주고 싶다.

별것도 아닌 이 괜찮다는 말 하나가, 당신 삶을 관통하며 영향을 미치기를 바라고 있다. 당신 스스로 정말 괜찮을 거라 믿게 되기를, 괜찮다고 자각하게 되기를, 끝끝내 완전히 괜찮아지기를 바라고 있다. 잠시뿐이다.

사사로운 일에 예민해진 당신에게,

모진 인간관계에 풀썩 지쳐버린 당신에게,

누군가를 잃어 슬픈 당신에게

괜찮다고 말해주고 싶다.

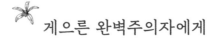

게으른 완벽주의자에게

어릴 적부터 저는 모든 것에 꾸준하지 못했습니다. 매번 쉽사리 내려놓고 도망가거나, 그럴듯한 핑계를 찾는 데에 시간을 써버렸습니다. 학교에 다닐 때도, 운동을 하면서도, 그렇게 좋아하던 음악을 하면서도, 단 한 번을 열과 성을 다해 모든 힘을 쏟은 적 없었습니다. 잘하고 싶고, 잘해내고 싶은 마음만 귀하다는 듯 세게 끌어안은 채로 게으름에 잘도 빠져들곤 했습니다.

기대만큼 결실을 얻지 못한 일 앞에서 나름대로 최선을 다했다 떠벌리고 다녔지만, 사실 일순간도 간절하지 않았다는 것을 누구보다 잘 알았습니다. 내가 꾸준하지 못했다는 것을, 노력하지 않았다는 것을, 잘해보려는 일에 조금도 미쳐보지 않았다는 것을 스스로가 가장 잘 알고 있었습니다. 그 시절은 시간 지나 모조리 후회와 미련으로 지금에 자리 잡았습니다.

밤낮으로 허송세월 흘려보내던 중 우연히도 글쓰기를 만나게 되었습니다. 저는 지금껏 해왔던 어떤 일과도 비교할 수 없을 만큼 글쓰기에 많은 사랑과 힘을 쏟아붓고 있습니다.

쓰는 일이 미워질 때도 있었으나 스쳐 지나가는 일말의 감정이었을 뿐, 손에서 놓게 할 만큼의 악랄한 힘을 가지지 못했습니다. 하지만 삶의 모든 순간이 그러하듯 글에 대한 한계와 넘을 수 없을 것 같은 드높은 벽을 목격한 뒤로, 잦은 슬럼프에 빠지고 회복하기를 끊임없이 반복하고 있습니다. 글 쓰는 일을 열렬히 사랑하는 마음에 이것만큼은 꼭 잘 해내고 싶은 마음이 얹혀, 무엇보다 저를 행복하게 만들었던 일이 저를 가장 힘들게 만드는 꼴이 되어버린 것입니다.

하지만 슬럼프는 최선을 다했을 때 누구에게나 불현듯 찾아오기 마련이고, 노력하지 않았기 때문이 아니기에 예전처럼 후회나 미련 따위가 그 끝에 도사리고 있지는 않았습니다.

애쓰지 않은 탓이 아니라,
너무 많은 애를 쓴 탓입니다.

찾아온 슬럼프를 회복하고 그만큼 다시 나아간 빈도도 적지 않다는 사실 하나에, 저는 오늘도 이 일을 마음껏 사랑하며 앞으로 나아갈 용기를 얻습니다.

이것은 비단 이루고자 하는 꿈만의 이야기가 아닙니다. 사랑과 인간관계, 수많은 결심과 실천에서도 간절했던 시간에 걸맞은 슬럼프가 오고 맙니다. 잘 해내고 잘 가꾸고 싶은 마음과 그에 반등하듯 무너지게 되는 순간은 어쩌면 필연인지도요.
닿고 싶은 지점을 좇는 과정에서 정체되고 손발이 묶이는 순간을 무사히 넘기 위해서는 매번 잘 해낼 수 없다는 것을 끝내 인정해야 하는 것 같습니다. 얼마나 많은 노력과 힘을 쏟았든 간에요. 잘하려는 마음보다 계속 이어가고 싶은 이유를 절대적으로 우선시해야 할 것 같습니다. 내 마음이 변화한다면, 우리가 겪게 될 모든 실패는 '실패'가 아니라 안정과 휴식을 가질 '기회'가 될 것입니다.

부디 당신의 오늘을 무자비하게 어지럽힌 일 앞에 마냥 울고만 있지 않기를 바랍니다. 실패하고, 무너지고, 뒤처지고, 좌절하고, 가라앉음이 몇 번이나 된다 해도 그 사랑을, 그 관계를, 그 일을 내가 왜 사랑하게 되었던가 되짚어볼 수 있기를요.

이기지 못하거나 잘 해내지 못해도 아무렴 괜찮습니다. 최선을 다해 꾸준히 행하는 것만이 나와 당신이 할 수 있는 가장 아름다운 일이니까요.

나만이 나를 도울 수 있다

이상하리만큼 껄끄러운 기분에 신경이 잔뜩 날카로워질 때 처방처럼 행하는 나만의 방법이 있다. 유독 생각이 많아져 혼란에 이를 때면 차분히 글을 쓰고, 스스로 마음이 무르다 느껴질 때면 그게 언제라도 잠을 청하고, 이유 모를 분노가 일렁일 때면 모든 대화를 피한 채 음악을 듣고, 우울감이 들 때면 밖에 나가 운동을 하고서 끼니를 든든히 챙기고, 스스로의 나태함에 치가 떨릴 정도라면 미뤄둔 집안일을 해결하고, 다 부질없다 생각될 때면 근처에 있는 책을 집어 들어 읽고, 어느 누구도 나를 도울 수 없다 느껴진다면 곧장 산책길에 나선다.

내가 주체가 된 삶을 살아가려 부단히 애쓰는 것만이, 내게 부서지지 않는 안식을 안겨주리라는 것을 이젠 안다.

몸은 정직해서 어딘가 잘못되면 그대로 표가 나지만, 마음은 지나치게 새침해서 제때 살펴주지 않으면 영영 토라진다. 내 마음과 가장 가까이에 머무는 나만이 그 역할에 둘도 없는 적임자라는 것. 공생에는 항상 양보와 사려 깊은 경청이 필요하다.

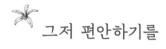 ## 그저 편안하기를

더운 계절 모두 가고
찬 계절이 스멀스멀 뒤덮인다

무더운 여름이 떠나가기 무섭게
서늘한 밤이 코앞까지 드리웠고

짧아진 해는 어둠에 등 떠밀려
급하게 급하게 줄행랑을 치기 바쁘다

매년 겪는 일인데도
가만히 바라보고 있자면
마음 한구석이 아려온다

일찍이 찾아오는 이 추위를
부디 따스하고 세심한 마음으로
품어줄 수 있기를

누군가를 어여삐 여기는 사랑과
하늘 한번 올려다볼 수 있는 여유가
꽁꽁 얼어붙지 않기를

반갑지 않은 슬픔이
날카로운 바람처럼 마음에 불어닥쳐도
가볍게 털어낼 수 있는
따뜻한 사람과 늘 함께이기를

다가오는 겨울과 어두컴컴한 밤을
소복이 쌓인 첫눈처럼
포근하게 받아들일 수 있기를

몸과 마음 모두
감기 앓는 일 없이
그저 편안하기를

2장 사랑을 건네다

당신을 향한 마음의 눈금

사랑

사랑

지천에 흐드러진

사랑

보고 싶어요

보고 싶어요. 떨어져 있는 시간이 찰나에 불과해도, 금세 예열되어 애틋해지는 당신이. 하루도 거르지 않고서 들숨처럼 절절히 찾게 되고, 금은보화보다도 귀히 여기게 되는 당신이 날마다 보고 싶어요.

본디 사랑은 시간의 흐름에 비례해 빠르게 퇴색된다 하던데, 왜 나는 당신이 점점 좋아지기만 하는 걸까요? 내가 당신에게 지독히 빠졌다는 소문이 널리 퍼져도 좋을 거예요. 팔불출이라는 놀림이 부끄럽지 않고 떳떳해요. 누군가를 온종일 바라보고 싶어진다는 거, 언제 어디서 마주하든 반가운 사람이 나의 곁이라는 거, 무엇보다 억겁의 시간이어도 내내 평행하고픈 사람을 함성처럼 와르르 사랑할 수 있다는 거. 이보다 더 커다란 사랑이 세상천지에 또 있을까요. 나는 지금 당신이 몹시 보고 싶어요.

순진한 사랑과 무구한 동경

너의 춤을 말간 마음으로 사랑할게
네 꿈속 찬 미아의 손금 위로 입김을 모아다가
아무도 해치지 않는 파란 불을 용기처럼 피워줄게
희뿌연 시간과 마주 앉은 너의 슬픔을 이해할게

나는 너의 청춘을 위해
꽃의 윤곽에서 따온 화사한 이름을 지어줄게
큰비에도 아랑곳 않는 포옹을 네게 안겨줄게

아직 뜨지 않은 너의 계절 위로
괴상한 밤이 이르지 않게 해줄게

너의 울음 속 녹음이 재잘거리는 숲의 노래

그 흥건한 발치에 돋아나는 수줍은 제비꽃의 이야기
어여쁜 너의 생애를 순진한 사랑으로 동경할게
너와 마주치는 눈빛에는 오직 무구함만을 얹을게

한낮의 정원에 감도는 모든 신비로움을 너로 여길게

네 세계가 얼어붙고 분실한 과거가 짓무르면
목련이 피고 지는 찰나 놓치지 않고서
내가 너의 평화를 촘촘히 매만져줄게

빼곡하게 찬란했던 삶의 자국을
애틋하게 배웅할게

여름의 사랑

비로소 여름이 시작됐어
우리, 가진 잎을 넓게 펴고
들이치는 볕을 활짝 받아내자

초록과 평행토록 걸으며
무한한 안전을 느끼자

짐작과 우렁찬 시도는 않고
미워하는 마음 없이
흐르는 아지랑이에 발을 담그자

그늘을 찾아다니며
어린 계절을 낭비하는 일 없이

몹시 뜨거운 찬란에
기꺼이 살갗을 내어주자

황급한 납빛 구름과
죄여오는 눅눅함
큰비가 와르르 쏟아질 테지

그러는 우리는
한 뼘의 빗줄기도 빠짐없이
청춘과 수직이게 하자

방울방울 부딪히는 빛의 산란을
여름에게서 훔쳐 우리의 것으로 하자

들킴 없이
부족하지 않은 마음이 억겁을 살도록

우거진 숲의 테두리를 따라
정처 없이 밀려가자
힘닿는 한 가장 먼 곳까지

겁낼 필요 없어
사랑이 지켜줄 거야

뙤약볕 아래로 힘껏 달린다면
우리와 우리의 모든 것을
사랑이 지켜줄 거야

여름의 일방적 호위
모르는 새 허락했을 사랑

붉게 달아오른 우리의 얼굴에 반해버린
여름의 미움 없는 뙤약볕
그래서 여름의 사랑

지금부터 여름이 시작됐어
가진 잎을 넓게 펴고
들이치는 사랑을 활짝 받아내자

흩어지지 않는 사랑을 손에 꼭 쥐고
여름을 폴짝폴짝 뛰어 건너가자

2장 ○ 당신을 향한 마음의 눈금

동행

당신과 동행하는 여름, 아직 어린 칠월과 알알이 보석처럼
영글 팔월은 천국 같을 것입니다. 계절의 한가운데 걸음
닿는 곳마다 울음이 뿜어져 나온다 한들 아무렴 괜찮을
테지요. 고통을 토해내듯 쏟아지는 빗물이 우리를 대신할
것입니다. 제가 아는 여름은 결코 기대를 저버리지 않습니
다. 받은 사랑에 서너 줌의 붉음을 더 얹어 흩뿌립니다. 이
계절은 어머니의 얼굴을 하고 있습니다. 제게 여름은 죽음
을 마주하지 못하게 하는 커다란 요새 같아요.

이토록 여름을 사랑하고 있습니다. 영원처럼 흐르기를 염
원합니다. 그 속에서 샛별의 산란 같이 이어질 우리만의
청사진을 기꺼이 뒤따르겠습니다. 당신의 기나긴 여행에
지치지 않는 숨이 되겠습니다.

장마가 빠르게 번지는 유월에는 손등과 뺨 위로 착륙하는 빗물이 퍽 달갑습니다. 물웅덩이 밟으며 쌩쌩 달리는 자동차 소리와 온종일 윙윙거리는 제습기 소리, 변함이 없기에 귀를 더욱 편하게 만들어 주는 빗소리가 모여 조화를 이룹니다. 여름의 향연 심장부에는, 또 하나의 계절인 듯 당신이 곤히 잠들어 있습니다. 잠결에 내뱉는 편안한 숨은 저를 완벽하게 사로잡죠. 몸 둘 바를 모르는 저는 당신의 옆에 가만히 앉아 있기만 할 뿐입니다. 그러고는 비가 제멋대로 그려지는 창과 당신의 얼굴을 감격스럽게 번갈아 지켜볼 밖에요.

새벽 내내 들이친 빗물의 습기가 잠든 당신을 곱슬거리게 만들었고, 저는 당신의 머리칼을 손가락으로 쓸어주며 사랑한다는 말만 중얼거렸습니다. 부디 당신이 단잠에 빠져 황홀을 금치 못하고 있기를 마음 다해 바라면서요.

아침이 밝고, 새가 지저귀고, 쏟던 비가 잠시 멎고, 당신은 작은 미소를 얼굴에 두른 채 여전히 잠들어 있습니다. 저는 비가 물러난 틈을 타 얼굴을 붉혀대는 저 태양과 마주하며 잔뜩 그을린 사람의 마음으로 평화를 만끽합니다.

여름이자, 퍼붓는 장맛비이자, 볕이자, 나만의 다섯 번째 계절인 당신이 제 모든 곳에 묻어나고 있습니다.

저는 이제 당신이 가장 잘 내리쬐는 거실 창가에 비스듬히 앉아 바삭하게 익어가는 중입니다. 덕분에 이끼 한 줌 자라지 않는 가벼운 몸으로 눅눅한 장마철을 쉬이 건너는 중입니다.

닮아간다는 것

너는 꼭 내가 되고 싶은 것처럼, 내가 너인 것처럼 아끼고 돌보려 해. 그토록 무수한 배려는 어디서부터 자라나는 걸까. 얼마나 깊고 오랜 뿌리를 두고서 자라나기에 이토록 어여쁜 마음을 틔워내는 걸까.

너무 사랑하게 되면 그 자체가 되고 싶어진대. 말투, 걸음걸이, 분위기, 시선, 습관, 취향까지 모두 닮고 싶어 안달이 나고 만대. 사랑함으로써 나 자신마저 애정의 범주 안에 들이는 것이, 사랑의 이상적인 최후이기 때문일까.

나도 네가 되고 싶어 애쓰는 순간이 한두 번이 아니야. 너를 동경하고, 존경하고, 너의 다정함을 모방하고 싶은 마음이 무한하기에. 나는 너를 서둘러 닮고 싶어. 너를 더 많이 보고 들으며 하루라도 일찍 네가 되고 싶어.

우리 멈추지 말자. 날을 거듭할수록 풍요히 영글자. 그렇

게 사랑을 하며 서로에게 신도 기적도 구원도 뭣도 아닌
오직 서로가 되자. 마음껏 닮아가자.

 Love is all

내가 가진 수많은 단점과 치부에 개의치 않고, 희뿌연 장점 하나 선명히 발견해 무럭무럭 사랑해주는 사람. 자신이 가진 모든 걸 내어주면서도 무엇 하나 바라는 법 없는, 살갑고 명랑한 건 다 하는 사람.

무르익은 다정에 힘입어 나는 늘 모자람 없는 사랑을 만끽한다. 하고자 하는 것, 가본 적 없는 길을 나서는 것 모두 든든한 마음으로 행한다. 끝없는 신뢰가 내게 오는 기운. 산뜻한 볕이 지나간 자리를 의심 없이 뒤따르는 일. 그가 내게 보내는 사랑 앞에서는 그렇다 할 사유도, 정밀한 검증도 필요치 않다. 스스럼없이 받아들여 실컷 취해도 괜찮은 마음일 뿐이다.

사랑하는 사람을 바꾸려 들지 않는 것. 사랑으로 엮여 있다 해서, 상대방의 행동 하나하나 꼬집지 않는 것. 내 마음과 기준에 족하지 않다는 이유로 오류라 여기는 일 없게 하는 것. 상대방의 신념과 습관을 보이는 그대로 이해해주는 것. 혹여 이해할 수 없더라도, 쉽게 지치거나 낙담하지 않는 것. 완벽히 납득하려 애쓰지 말 것. 당신은 당신, 나는 나. 우리가 양손 모아 함께 하는 것은 사랑 하나로도 넉넉하다 여기는 것.

그 사람은 내게 이 모든 것을 한마디 말없이 알려줬다. 눈빛과 행동으로 세세히 가르쳤다. 나는 공손한 학생처럼 빠짐없이 받아 적고 학습했다. 자연스러운 배움이었다. 사랑을 알기 이전에는 냉소적으로 대했던 것들. 사랑은 소유와 동의어인 줄만 알았던 멍청한 과거들. 모두 청산했다 해도 과언이 아니게 됐다. 모조리 그 사람의 덕택으로.

사랑이 전부인 삶을 추종한다. Love is all. 나에게 있어 사랑은 더 이상 고작 하나의 감정을 뜻하는 말이 아니다. 과연 삶의 전부와도 같다.

그 중한 마음을 한낱 말 따위로 증명하고 싶지 않다. 사랑한다는 말은 실체가 없고 내뱉는 순간 증발하기 마련이지만, 사랑이라는 감정은 믿는 이로 하여금 그 존재를 목격하게끔 한다. 이제는 사랑한다는 말 없이도 누군가를 마음 다해 사랑하는 법을 어렴풋이 안다. 그에게서 배운 사랑을 다시 그에게 건넨다. 한참은 모자라더라도 매일 하나씩 더 얹는다. 비로소 혼잡하던 삶에 튼튼한 기준이 세워졌다. 내가 따르는 사랑이 꾸준히 사랑일 수 있도록 하는 것. 모든 일과 노력의 목표를 그것으로 삼는 것.

내가 사랑하는 사람
지켜낼 수 있는 삶을 꾸려가는 것.

너무 아득해 나조차도 닿은 적 없는 나의 장점을 날마다 늘어놓는 사람. 단점만을 파헤치기 일쑤인 사람들의 눈총을 거뜬히 막아주는 사람. 그 헌신적인 보호 속에 나는 나날이 성장한다. 해낼 수 있고, 이겨낼 수 있다는 믿음이 스스로를 향하고 있다. 이것이야말로 옳은 사랑이 가진 진짜 힘이다. 사랑을 함으로써 이상에 가까운 삶을 구축한다. 받은 믿음과 응원에 보답하고자 하는 감사가 들끓는다.

결국 사랑은 '믿는 마음'과 같은 의미를 지녔다. 정확히는 '단단히 믿어주는 마음'이라고. 사랑으로 엮인 상대의 삶에 일부 관여할 수 있겠지만, 끝내 사람과 사람이 함께 뜻을 맞춰 나누는 것이 사랑이다. 그러니 상대에게 향하는 새붉은 마음에 투명한 믿음을 얹어 건네면 그뿐이다. 남은 판단과 보답은 내 사랑과 믿음을 받은 이의 몫이다.

서로를 누구보다 믿어 주고 의지하는 사랑만이 인간을 다음 단계로 나아가게 한다.

서로에게 신도 기적도 구원도 뭣도 아닌

오직 서로가 되자.

억겁의 시간을 나는 법

너는 나와 억겁의 여름을 나자.

수풀 기슭으로 수분을 머금은 바람이 드나들고, 따끔거리는 볕이 눈가에 바짝 가까워지는 곳. 제철을 맞아 분주해진 수국이 색색의 옷을 뽐내며 상기된 뺨을 내미는 계절. 이 열기와 작별하고 싶지 않다는 말이야. 더위를 귀히 여기는 게 좋겠다.

우리는 쉽사리 식지 않을 거야. 죽지 않고 내내 뜨거울 수 있어. 속이 부끄럽게 비치는 추위와 우리는 영영 친해질 수 없을 테니까. 요란한 매미들의 무수한 말들이 생의 끝까지 이어질 거야.

네 배에 입방귀를 커다랗게 뀌어대는 한가로운 장난도 영원할 것만 같은걸.

그러니 오래도록 여름의 일부로 살아 있자. 밤과 달빛처럼 내내 맞물려서 살자. 언제나 현관문을 덜컥 열면 서로를 당연하게 반겨줄 수 있도록 하자. 이따금 쏟아지는 비가 길어지는 것도 나쁘지만은 않겠다. 죽지 않는 열기에 소금기 짙은 습기가 얹히는 것만큼 우리를 몽롱하게 만드는 것도 없을 테니까.

우리 이제 여름만의 환희를 떠올려보자. 그 넘치는 좋음을. 괜찮아, 처음과 달라지는 건 아무것도 없어. 우리에게 변할 수 있는 마음은 한 줌도 없어. 너와 내가 가진 사랑이 구부러지지 않은 채 우리를 향해 있는 것.

우리가 나게 될 억겁의 여름 속에서는 아마,
사랑이 죽음보다도 더 크게 드리울 거야.
시간이 흐를수록 크게 크게 드리울 거야.

남몰래 만개한 여름

여름의 손금이 유월을 가로질러요.
건널목엔 줄지은 바람결로 고무줄을 뛰는 당신이
아이 같은 순백의 아름다움으로 있습니다.

잠에서 깬 바다가 이른 하늘에 파랗게 걸려
아침부터 당신의 이름을 잎사귀처럼 지저귑니다.
사이사이를 비집어 대는 따뜻한 볕뉘 위로
온 사랑을 예찬하는 당신의 수수한 음성이 들려요.

어두운 밤, 반딧불처럼 신비롭게 번지면
들풀이며 산새며 나비 떼며 하는 만물이
고요히 숨죽인 채 당신의 설익은 이야기를 귀담습니다.

진녹색 숲도 당신의 오밀조밀한 입도
모두 꿈의 못으로 흘러 잠든 새벽녘
나는 머리맡 어스름히 수놓은 별들에게 졸라
당신이 밤새 읊조렸을 고백이 무엇이었는지 물어요.

한순간 여름을 이루는 입자마다 정적이 내려앉고
이내 혀끝에서부터 튕겨 나오는 애틋한 환희

나 하나 영영 사랑하겠다는 그 마음 몹시 고와서
여름 새 지천에 흐드러진 꽃이 핀 줄도 몰랐습니다.

당신과 동행하는 낮잠

사랑은 누구도 부정하지 못할 소속감을 선사한다. 마음의 평화와 기대어 쉴 수 있는 널찍한 터가 되고, 서로의 곁이 세상에서 가장 안전한 요새가 된다. 얼마나 다치고 부서지고 무너져버렸다 한들, 사랑하는 이와 함께하는 단 일순간이면 모든 생채기가 눈 깜짝할 새에 아물고 만다.

나를 아끼고 사랑하고 배려하기도 벅찬 삶에, 나를 나보다도 아끼고 사랑하고 배려하는 사람의 보살핌 속에 산다는 것. 그 사람이 나를 지키기 위해 구축한 울타리 속에 산다는 것. 이는 결코 구속이 아니다. 자처한 파고듦이다. 수시로 나를 공격하려드는 악랄한 외압을 피해 숨어든 안온한 숲이다. 사랑은 마치 성나지 않은 자연처럼 완전히 무해하다. 말라가는 나를 충분히 적시는 것 외에는 어떤 관여도 않는다.

사랑은 늘 인간을 옳게 만들고,
두텁던 마음의 껍질을 스스로 벗겨내게 하고,
신조차 어지럽게 할 만큼 강한 힘을 지녔다.

내세울 것 하나 없던 생에
가장 큰 자랑거리 하나를 손에 꼭 쥐여준다.

내 모든 치부를 들키더라도 좋을 사람이 있다. 그의 곁에
서 하루도 빠짐없이 단잠을 청하고 싶다.
깊은 잠 속을 헤매는 동안에도 쭉 웃는 얼굴일 수 있다면
믿겠는가. 전부 내려놓고 벌거벗은 서로의 팔과 다리를 촘
촘히 엮는 일이 하나도 부끄럽지 않을 수 있다면, 맑은 물
속을 하염없이 유영하는 기분으로 매일을 머물 수 있다면
믿을 수 있겠는가. 사랑은 모든 환상을 뚜렷이 가능케 한
다. 사랑을 하고 사랑을 받는 모두가 행운을 등에 업은 채
살아가고 있다.

모든 생물은 수면 상태일 때 가장 여린 몸이 된다. 인간이
라고 다를 것이 있을까. 사랑의 위대함이란 이런 것이다.
누군가의 곁에서 안심하며 잠들 수 있다는 것. 안락함과

치유를 무한히 경험할 수 있게 한다는 것.

중천인 해가 뿜어대는 볕을 쬐며 서서히 감기는 눈, 가까이서 규칙적으로 들려오는 숨소리, 맞잡은 손, 내 것이 아닌 듯 흐물거리는 몸, 비로소 행복하다는 생각. 사랑하는 이와 나란히 누워 곤히 자는 낮잠만큼 과분한 행복이 또 있나. 손닿으면 찢어질 듯 나약한 내가 불안한 마음 모두 내려놓을 수 있는 곳이 사랑 말고 또 있나.

참지 않아도 되는 울음

고작 열 발자국 남짓한 걸음으로도
충분히 둘러보고 남았던 내 세상이
이제는 까치발을 들고
두 손으로 망원경을 만들어 유심히 내다본대도
한눈에 다 담을 수 없을 만큼 거대해졌다

모두 여기에 드리운 당신의 덕이다

필사적으로 좁아지려 애쓰던 나의 세계를
기어코 비집고 들어 양손을 힘껏 휘저은

용맹한 당신의 덕이다

낭만이 쓸모를 잃어
차례로 발을 헛디디는 세계
땅끝으로 투신하는 계절

보금자리 찾아가는 길에
꽃집에 들러 수국 한 다발 사 들고
당신과 저녁을 함께하는 것만이
오직 그것만이 내게는 자명한 낭만

당신은 끙끙 앓지 않아도 펼쳐지는 마음
책갈피가 없는데도 거짓말처럼 찾아지는 페이지

당신의 덕을 입어
나는 늘 새로운 언어를 배우고
익숙한 말을 쉬이 잃은 적 없다

즉흥적인 수다스러움
사랑스러운 멋쩍음
굳이 기록하지 않아도 괜찮은 삶
여전히 많은 생명이 필요로 하는 물

당신은 어느덧 내게 이다지도 많은 의미이고
사랑이 깊어지면 울음부터 터뜨리기 바쁜
나는 깊은 여름

겨울이 한창인데도 여름의 눈은 내내 퉁퉁 부어있다

# 사랑의 법칙

짙은 초록보다 맑은 연두색을 좋아한다
완연하고 강단 있는 생명보다
미숙하고 여린 목숨을
더 애틋하게 여기는 탓이다

그러는 당신은 무엇에 더 마음이 가는지
검푸른 눈동자 하고서 슬쩍 물었더니

나는 무엇보다 당신이
그저 당신이 좋습니다 했다

잔뜩 무안해진 나는
그리 답하면 서론만 길게 늘어놓은

내가 무엇이 되느냐고
입술을 삐죽이며 고개를 숙였다

그러자 당신이
무엇이 되면 어떻고
또 안 되면 어떠하냐
새순처럼 옹기종기 모인
치열 보이며 방긋 웃었다

사랑에는 이유가 없고
이유가 없어야 사랑이라는 법칙이
비로소 묻어나는 미소였다

넘어지고 무너진대도

보이지 않는 곳에서 전하는 사랑의 힘을 믿는다. 지쳐 잠든 당신의 귓바퀴에 네가 최고야, 너만큼 사랑스러운 사람을 이제껏 본 적이 없어, 정말 사랑해, 전부 잘될 거야, 그러니 아프지 말아, 하는 사랑을 소곤소곤 흘려 넣는 일.

절로 감탄하게 되는 노을과 길가에 핀 꽃을 사진에 담으며 당신을 가장 먼저 떠올리는 일. 당신이 집으로 들어가는 것을 제대로 보고 나서야 발걸음을 돌리는 일. 당신이 보낸 오늘 근심이 덜했기를, 부디 내일의 아침은 개운하게 맞이할 수 있기를 소망하는 일. 나를 바라보며 빙그레 웃는 당신의 평안과 억겁의 행복을 두 손 모아 몰래 빌어보는 일. 들이치는 볕 아래 꾸벅꾸벅 졸고 있는 당신의 이마 위로 손차양을 씌워주는 일. 나도 모르게 당신의 머리칼을 한번 쓸어보고, 콧잔등과 뺨에 차례로 손을 얹어보는 일. 내게 와줘서 참 고맙다. 벅차오르는 마음과 의지와 달리 붉어지는 눈시울.

티 나지 않는 표현과 깊숙이 품은 마음은 날이 갈수록 온전한 사랑이 된다. 진한 향기를 가진 채 세게 박동한다. 전부 드러내고 눈앞에 훤히 꺼내 보여야 참된 사랑이 아니다. 누군가에게는 차마 목소리와 몸짓으로 말하지 못한 사랑이 있고, 때때로 조용한 사랑이 더 강한 힘을 갖기도 하니까.

알아주지 않아도 좋고, 대가를 바라지도 않는 사랑. 사랑은 욕심을 비롯해 많은 것을 내려놓는 이에게 더한 기쁨을 안겨준다. 가진 마음을 전부 내어주면, 버릴 것 하나 없는 양식들로 피둥피둥 차오른다. 사랑의 결이 어수선하지 않고 한 곳만을 곧게 향한다면, 그 사랑은 어디에도 비할 바 없는 절경이 된다.

괜한 웅성거림에 흔들리지 말고 오늘도 우리의 사랑을 하자. 어떠한 거짓도 섞지 말고 서로를 향해 속삭이자. 네가 내 사랑이라 너무 기뻐, 너는 나에게 귀한 존재야, 날마다 웃음 터뜨리며 신나게 놀자, 하며 꽈악 부둥켜안자. 넘어지고 무너져도 우리의 사랑이 있음을 기억하자.

나 하나 영영 사랑하겠다는 마음 몹시 고와서

지천에 흐드러진 꽃이 핀 줄도 몰랐습니다.

체할 만큼의 마음

팔월이다. 사랑이 나를 거저먹으려 들어도 좋을, 가진 마음 전부 한 사람만을 위한대도 아깝지 않을 때다.

창밖으로는 밤 산책을 나온 강아지들이 풀냄새를 맡는다. 우리 집 고양이는 그걸 하찮다는 듯 가느다란 눈으로 내려다본다. 속으로는 부러워하고 있다는 게 티가 난다. 얘는 꼭 거짓말을 할 때면 수염을 나팔처럼 펼친다.

사랑하는 사람과 호수공원을 걸었다. 저게 연꽃이야. 그녀의 어깨를 감싸 안고 초록에 속해 있는 게 좋았다. 선홍빛 꽃봉오리. 밤에 더욱 짙은 옥빛을 띠는 초록들. 모든 게 좋았다. 어제 쏟은 비 덕에 이곳의 온도도 한풀 차분해졌어. 연을 날리다 끊어져 달아난대도 손을 흔들어줄 수 있겠어. 불평 한번 없이.

그녀가 호숫가 여기저기를 가리키다, 겸손한 학생 같은 얼굴로 나를 쳐다본다. 나는 어쩐지 조금 더워지는 듯했다. 괜히 없던 더위를 불러와서는.

저녁으로 먹은 파스타가 금세 소화되고 배가 출출해졌다. 이제 그만 갈까. 나는 그녀의 손을 아프지 않을 정도로 잡아당겼다. 원래 기다리거나 어르고 달래는 일은 내키지 않는데. 의견을 묻는 것도. 그런 거 평생 안 해도 되는 삶이었으면 했는데. 물론 내 이기심의 축이 그녀를 향해 기우는 경우는 드물다. 모든 것을 내어줘도 괜찮아. 하나도 억울하지 않아.

돌아가는 길에는 더위에 풀이 죽은 버드나무를 보았다. 내가 제일 좋아하는 나무. 그녀가 신난 얼굴로 불쑥 말했다. 나는 조금 더 더워지는 듯했다. 너무 좋아. 이렇게 같이 걷는 거. 여름밤 너무 좋아. 나는 걷는 것도, 여름밤도, 땀 흘리는 것도 사실 별로 좋아하지 않는데 그녀의 기쁨이 온전히 전해진 나머지 나도 덩달아 이 산책이 멋지다고 생각하게 됐다.

집으로 돌아와서도 그녀와 나는 한참을 복닥거리며 떠들

어댔다. 우리는 같이 사니까. 헤어지지 않아도 되는 사랑은 늘 새로워. 이윽고 먼저 잠든 그녀가 색색 소리를 내고 있었다. 좋은 꿈이기를 바라. 무얼 만나든 하나도 무섭지 않을 거야. 누군가의 단잠을 빌어주는 것만큼 징한 사랑도 없다던데 의식하지 않고도 나는 그녀의 단잠을 내 것보다 더 바라고 있었다. 순간 낯선 환희로 온몸이 가득 채워졌다. 매미 소리와 선풍기 소리, 협탁 위의 시계 초침 소리가 느리게 내 귀로 들어온다. 그리고는 새삼 놀랐다.

내가 이 사람을 체할 만큼이나 사랑하고 있구나.

잠깐 다녀간 사람이 되지 말자

나는 너랑 함께 있을 때
가장 커다란 행복을 느껴.

사이좋게 붙어 앉아
시종일관 시답잖은
대화만을 나누는 것도

저녁거리를 내내 고민하다
이거다 싶어 선택한 음식을
맛있게 나눠 먹는 일도

노을이 지고 찾아온 어두운 밤,
노곤한 우리가 서로를 꼭 끌어안고

사랑을 아낌없이 속삭이는 순간도

가까운 미래부터 조금은 먼 미래에
우리가 함께 할 무언가를
약속하는 일도 내게는
마냥 기쁨으로 다가오니까.

그 속에 가득한
무수한 심장색 약속들은
알알이 사랑이었어.

그러니 우리는 서로에게
잠깐 다녀간 사람이 되지는 말자.

몇 번의 계절이 바삐 옷을 갈아입든
우리는 개의치 말고
서로의 곁이 천국인 듯하자.

나는 언제고 너의 깊은 밤이 될 테니
너는 언제나 밤의 온 하늘을

은하수라도 된 듯 잔뜩 수놓아줘.

어여쁜 것들만 모아 네게 성큼 건네줄게.
너는 내게 우리가 함께일 수 있는
행복한 순간만을 가득 쥐어줘.

1인분의 행복

내 곁에 있는 사람이 언제나 너였으면 좋겠어. 하늘이 꼭
바다만큼 파랄 때 집 근처 산책로를 함께 거닐 수 있는 사
람이. 정겨운 시장 골목 한구석에 있는 소담한 덮밥집에
서 함께 밥 먹을 수 있는 사람이. 겨울 내음이 눈처럼 쏟는
날 따뜻한 커피와 핫초코를 손에 들고 잔뜩 언 몸을 함께
녹이곤 하는 사람이. 각자의 이야기, 기쁨이나 슬픔을 듣
고 말할 수 있는 사람이 늘 너였으면 좋겠어. 무수히 많은
사건을 함께 겪고 헤집으며 서로가 서로의 취향과 사랑을
몇 움큼 삼키고, 그렇게 조금의 모난 부분도 없이 우리가
짙고 두툼히 겹쳐졌으면 해.

앞으로 너와 무언가를 함께 한다는 걸 잠시 상상하는 것
만으로도, 나는 왠지 모르게 울 것 같은 얼굴을 하고서

달아오른 코끝을 검지로 황급히 문지르게 돼. 얼마나 귀중한 시간과 순간으로 덕지덕지 이루어질 것이기에, 나는 벌써 그날을 애틋하게 여기는 걸까.

너는 나와 동행하는 미래에 어떤 기대를 얹어뒀을까. 휘황찬란하게 눈부시지 않더라도 자그마한 행복을 차곡차곡 함께 모으는 삶을 꿈꾸고 있을까. 그렇다면 나는 너의 아리따운 그 꿈에 매일 1인분의 행복을 넣어줘야지. 네가 좋아하는 산책을 자주 하고, 틈틈이 바다며 산이며 너른 곳으로 너를 데려가야지. 크림빵이 맛있기로 소문난 찻집으로, 오일 파스타를 잘한다는 레스토랑으로 그 손 움켜쥐고 함께 가야지.

우리의 여정이 생각처럼 순탄하지 않을 때도 섣불리 실망 말아야지. 붉으락푸르락 얼굴빛을 못나게 밝히며 서로에게 가시 돋친 말을 쏘아댄대도, 차가워진 마음에 성에가 낀대도 얼른 입김을 불어 넣어 안간힘 다해 녹여내야지. 갓 구워진 따뜻한 붕어빵 한 봉지를, 네가 눈을 번뜩이며 먹곤 하는 옛날 통닭 한 마리를 사 들고서 쭈뼛쭈뼛 화해의 손을 내밀어야지. 이거 지금이 알맞게 따뜻하고 맛있을 때라고, 식고 나면 안 먹느니만 못한 게 되어버린다고,

그러니까 이제 우리 싸우는 건 그만두고 이거나 사이좋게 나누어 먹지 않겠느냐고 하면서.

다가올 봄날에는 널찍한 돗자리 챙겨서 잔디가 고른 공원으로 너와 소풍을 나서야지. 요리에 소질이 있는 네가 애써서 피크닉 간식을 준비한다면, 나는 최선을 다해 입 안 터질 듯 먹고 엄지를 몇 번이고 치켜세워야지. 내리쬐는 볕이 강해 눈을 제대로 뜰 수 없는 시간이 되면, 내가 가진 그림자를 모조리 네게 내어줘야지. 졸리면 한숨 자도 좋겠어, 늦지 않게 깨워줄게, 하며 너를 내 곁에서 안심시켜야지. 이 사람 옆이라면 내가 마음 놓고 살아봐도 되겠다고, 무슨 일이 있든 이 사람 옆에 있고 싶다고, 고맙게도 네가 그런 생각을 갖게 되기를 바라면서.

내 옆에는 늘 네가 있기를, 네 옆에 있는 사람은 언제나 나이기를 어떤 소원보다도 간절히 소망하면서.

작은 하루라도 빠짐없이 행복하세요.

숨이 붙은 모든 시절을 화양연화로 살아가세요.

눈밭

손을 잡아본 적 없는 이와 눈밭을 걸었다

자박자박
걸음마다 흰 자국이 남았고
그 위로는 유리알 같은 눈 결정들이
뿌리도 없이 피어났다

그날 밤
꾹 참은 어느 공간에서
우리는 삶을 반씩 나눠 가졌다

이는 곧 뒤따르는 죽음마저 욕심 없이 가르겠다는 말

저문 밤
번져오는 햇빛이 한 뼘도 채 되지 않더라도
더는 어둠에 속하지 않을 수 있겠다 싶었지

전부 사랑이었는지
사랑이 전부였는지

무엇이 먼저라도 이젠 괜찮을 것 같은

멀미로 가득 찬 속을 부여잡고 계속 걸었다
젖은 발끝이 시려오는 줄 모르고 어지러이 걸었다

고이 덮어둔 아픔은 이어서 덮어두자
아픔이, 아픔이 아닌 게 될 때까지

그 위로 뽑아버리지 않아도 되는 싹이 틀 때까지

싹 틔우는 거름은 진동하는 악취로 존재하지
사랑, 사랑은 어디서든 무럭무럭 자란다

귀하게 자란 것은 참을성이 모자라지
비틀거림 없이 자란 사랑이 금방 고꾸라지는 것처럼

우리는 서로에게 평행이도록 종일 걸었다
한 번을 맞닿지 못했어도 저물 리 없는 한낮이었다

문득 떠난 뒤를 상상하면 그 자리에서 죽어버리곤 했다
풀썩 쓰러지고 털썩 주저앉다가

그 자리 그대로 무덤이 되어버리곤 했다

그러니 사랑

우리는 끊임없이 눈밭을 걷다가
볕처럼 걷고 또 걷다가
또 서로에게 녹아들고 있다

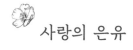

사랑의 은유

가진 사랑을 끊임없이 일러주며 확신을 주려 애쓰는 모습은 언제라도 아름답다.

대다수의 사랑이 모습 한번 속 시원히 드러내지 못하고 허공으로 흩어진다. 표현하지 않는 마음은 예외 없이 나설 기회를 잃거나 오해를 불러온다. 그러나 한번 꺼내놓은 사랑을 시도 때도 없이 찍어 바르기 시작하면, 그 마음은 그때부터 날개를 단 듯 훨훨 날아 한 곳만을 향하기 시작한다. 목적지가 명확한 사랑은 강단이 있다. 스스로 이 사랑에 확신이 섰으니, 마음을 건네는 데 한 치의 물러섬이 없다. 나는 지금 당신을 사랑하고 있습니다, 당신이 지금 이 마음을 꿀꺽 삼켜주지 않을지언정 포기하고 그만둘 만큼의 작고 헤픈 사랑이 아니랍니다, 하며 심지를 굳게 다진다.

사랑이 손뼉처럼 맞부딪혀 연인이 되었어도 사랑을 계속해서 표현하는 일은 몹시 어렵다. 쑥스러움이 당장 차오른 붉은 마음보다 언어체계에 더 큰 영향을 미치는 탓이다. 그렇기에 방해물을 척척 걷어내고 아무 일도 아니라는 듯 사랑을 표현하는 모습이 더욱 용기 있고 아름답다.

사랑한다, 예쁘다, 멋지다, 당신을 좋아하고 있다는 말만이 사랑의 표현은 아니다. 당신이 오늘 보낸 하루가 궁금해요. 오늘 저녁놀이 참 예쁘지 않았나요, 라며 건네는 괜한 질문도 분명한 사랑일 수 있다. 길가에 핀 꽃과 작은 길고양이를 예쁘게 담은 사진을 덜컥 전송하는 것. 이 또한 사랑의 은유가 될 수 있다. 사랑은 에둘러 말한다 한들 결코 그 힘을 잃지 않는다. 오히려 사랑한다는 말처럼 마음의 모양을 그대로 드러내는 것보다 더 울림 있는 증명이 될 수 있는 것이다.

"당신은 마음이 참 넓군요"라는 말보다 "당신의 마음은 꼭 바다 같아요"라는 말이 더욱 낭만 있는 것처럼.

사랑은 누구에게나 찾아오고, 우리는 그때마다 시름시름 열병을 앓는다. 누군가는 열병에 한없이 무력해지는 반면,

누군가는 그 저릿해진 정신에 힘입어 다신 없을 용기를 내보기도 한다.

어쩌면 사랑을 표현하는 일은, 내게 쌓이고 쌓인 열기를 사정없이 뿜어내는 일인지도 모른다. 피부로 뿜어져 나오는 사랑의 열기를 주고받으며 무딘 감정에 확신을 얻고, 앓던 마음을 어설프게나마 미지근히 식혀주는 것. 날려 보낼 것은 속 시원히 날리고, 열기로 진하게 뭉쳐진 감정만을 교환하는 것이다.

당신의 마음이 누군가를 향해 걷기 시작했다면 그 여정 앞에 머뭇거리지 말자. 건강한 사랑을 주는 일은 무엇이든 숭고하니까. 아무도 알아주지 않는다 해도 스스로 먼저 솔직해지는 것만이, 누군가를 다치게 하지 않고 사랑을 일러주는 유일함을 잊지 말아야 한다.

사랑하는 이에 대한 내 마음을 끊임없이 각인시키고 확신을 주는 것은, 어찌해도 아름답다.

영원에 다가간다는 것

한 사람과 웬만큼 오래 만나 사랑하다 보면 어느덧 차분한 분위기가 맴돈다. 깊은 신뢰를 바탕으로 만남을 이어가고 있는 덕에, 처음만큼 연락을 자주 주고받지 못한다 한들 의심이나 불안함이 예전처럼 파도치지 않는다. 서로의 일상과 휴식을 배려하는 마음 또한 짙어져, 매일 얼굴을 보지 않더라도 마음의 온기는 쉽게 식지 않는다.

각자의 위치에서 맡은 바 최선을 다할 줄 아는 사람이 무릇 사랑도 지혜롭게 잘 가꿔가는 법이다. 물론 활활 타오르는 연애 초기의 쿵쾅거림도 좋지만, 무럭무럭 자란 오랜 사랑의 풍채와 고요함도 진득한 매력을 풍긴다. 서로에게 익숙해질 뿐, 결코 소홀해지는 것이 아니니까.

나는 서로가 둘도 없는 친구이자 소중한 가족이 되어주는 편안한 관계가 좋다. 하나의 사랑을 오래도록 품고 있다

보면 별의별 생각이 교차하지만, 그건 사랑이 식어가는 과정이 아니라 계속해서 은은하게 타오르기 위한 만발의 준비를 하는 것이다.

여유에서 피어나는 무수한 감정. 서로에게 적당한 온도를 찾아가는 것. 화들짝 놀랄 만큼 차가워지지 않도록 꾸준히 보살피는 것. 시간의 흐름 속에서 언제나 서로를 신경 쓰는 것. 과연 영원과 아주 가까운 사랑이다.

2장 ∘ 당신을 향한 마음의 눈금

있는 그대로 바라보기

있는 그대로 바라봐 주는 것이
사랑임을 우리는 잊지 말자.

서로의 삶에 닥쳐오는
모든 악과 울음을
전부 막아주지는 못할지언정

세상의 깜깜함을 뒤집어써
날이 서버린 얼굴과 몸짓에
쉬이 등을 돌려버리거나
고개를 내젓지는 말자.

어느 날은 내가 숲이 되고

네가 뛰노는 노루가 되어
또 하루는 네가 바다가 되고
내가 맞닿은 해변이 되어

둘 중 누구도
헤매게 되는 일 없게 하자.

입 속에 오래 머물러
곪고 짓무르는 말 없도록
끊임없이 겹치고 품어서
둘의 삶을 하나로 만들자.

그리고 잊지 말자.

우리는 서로의 앞에 서서
서로의 사랑만을 구하는

단지 한 사람과
또 한 사람일 뿐이라는 것을.

침몰하고, 고꾸라지고
상처받고, 바닥마저 금이 가도
우리 둘만 서로를
있는 그대로 바라보면
그뿐이라는 것을.

사랑 따위를 하면

겨울이면 나는 항상 조용히 들뜬다. 사랑이 충만해진다. 대체로 말과 행동이 조심스러워지지만 침묵의 힘이 추위를 이길 만큼 강해진다. 특히 마음 깊이 품고 있는 사람의 얼굴이 자주 떠오른다. 그럴 때면 내게 겨울은 원래부터 아주 따뜻했던 계절이 되고 마는 것이다. 종종 어지러워 견딜 수 없는 지경에 다다르기도 하지만, 별처럼 소복이 쌓였을 눈과 어디서부터 들려오는지 모를 캐럴이 나를 진정케 한다. 겨울은 꿈의 변두리처럼 내게 기분 좋은 긴장감을 선사하고, 그런 순간의 중심부와도 같은 날이 오늘의 나를 환하게 맞았다.

이불을 곧게 갠 후 방문을 열고 나간 거실은 고요했다. 사랑하는 가족들이 각자 나름의 꿈을 꾸고 있을 터였다. 왠지 모르게 "다녀왔습니다"라고 말하고 싶어질 만큼의 다정함을 느꼈다. 평소에는 좀처럼 들리지 않던 시계 초침 소리가 거실 벽면 곳곳에 부딪히며 크게 울어댔다. 그 소리가 마치 필연적인 사랑에 빠진 순간 귓전에서 울려 퍼지는 천사의 종소리 같다고 생각했다.

가족 중 유일하게 출근하지 않는 나는, 다들 집을 나서기 전에 간단히 먹을 수 있도록 프렌치토스트를 만들기 시작했다. 달걀을 열심히 저어 풀어두고 식빵을 넉넉히 꺼내 반으로 잘랐다. 그리고 설탕을 꺼내려고 부엌 선반의 문을 여는 순간, 쾅 소리와 함께 내 바지와 발등이 노르스름히 젖었다. 바닥은 말할 것도 없었다. 달걀을 풀어둔 플라스틱 그릇이 나의 다리를 미끄럼틀 삼아 바닥으로 굴러떨어진 것이었다. 나는 놀란 가슴을 쓸어내리며 황급히 바닥을 닦아냈다. 갑작스러운 소란에 잠에서 깬 어머니는 어이없다는 표정으로 미소지으며 내게 핀잔을 줬다. 나는 머쓱해진 얼굴로 웃었고, 졸지에 또 사랑에 빠진 머저리가 되고야 말았다. 뒤따라 일어나 거실로 나온 형이 기지개를 크게 켜며, 쓸데없이 일찍 일어나는 새가 된 걸 보니 '또' 사랑 따위를 하는 모양이네, 하고 말한 탓이었다. 아주 틀린 말은 아니니 나는 가족들에게 전부 들켜버린 셈이었다.

사랑을 하면 왜 쓸데없던 일조차 기쁨이 되는 걸까.

비밀에 부쳐지던 사랑이 겨울을 맞닥뜨리게 되면 솔직해
진다. 크리스마스면 많은 사람이 재채기처럼 고백을 참지
못하게 되는 것처럼. 그날만의 재기발랄하고 따뜻한 분위
기 탓도 있겠지만, 사랑의 성장 속도를 지나치게 높이는 데
에는 팔 할이 겨울의 몫이다.

사실 사랑은 애초부터 겨울과 밀접하다. 목도리, 장갑, 붕
어빵, 포옹, 코트, 스웨터, 입김까지 겨울을 떠올리면 따라
오는 풍경들이 사랑과 퍽 닮지 않았나. 덕분에 누군가를
사랑하게 된 겨울의 방황은 아주 짧거나 거의 없다. 분명
하게 사랑을 가리키는 것들이 곳곳에 가득하니, 멍든 마
음도 새것처럼 치유되지 않고서는 배기지 못한다.

이 시기에 나의 마음은 더욱 직관적이고 낭만적인 얼굴을
한다. 짝사랑으로 불리지만 겨울에 놓여 있다는 이유만으
로 아주 조금 더 수월해진다. 언제까지 숨기고 얼마큼이나
솔직해야 하는지, 그 사람이 왜 벌써 보고 싶은지, 미온적
이고 여린 감정이 왜 날고 긴다는 추위 속에서도 멀쩡할
수 있는 것인지 명확히 알 수 있는 것이 없더라도 말이다.

때때로 사랑 앞에서 우리는
모든 것을 무의미하다 여기기도 하니까.
설사 그것이 생명이라고 할지라도.

시행착오 끝에 프렌치토스트를 완성했고, 가족들은 한 조
각씩 입에 물고 출근길에 나섰다. 갑작스레 집이 텅 비어
버렸지만 오늘만큼은 그 적막이 반가웠다. 나는 머그잔을
하나 꺼내 직접 만든 유자청을 듬뿍 담고 커피포트로 끓
인 물을 천천히 부었다. 집안에 상큼한 유자 향이 퍼져나
갔다. 마침 반쯤 젖혀둔 커튼 사이로 몇 줄기의 햇빛이 들
어오고 있었다. 기분 좋은 오전의 적요 속에서 나는 그 사
람을 떠올리지 않을 재량이 없었다. 고개를 세차게 흔들어
도 자꾸만 신경 쓰이는 사람. 그 사람과 이 유자차를 함께
마실 수 있다면 더없이 좋을 것 같다고 생각했다.
그 사람에게 괜찮다면 저 멀리 유럽으로 같이 떠나보지
않겠느냐고, 언젠가는 좋아하는 뮤지션의 콘서트에도 함
께 갈 수 있으면 좋겠다고, 아니면 내가 잘 아는 이태리 레
스토랑에 같이 가자고 말하는 순간을 함부로 상상했다.
조금은 어리숙해 보이지만 확신도 있었다. 내 모든 것을 내
어주고 싶었다. 분명 희귀하고도 초월적인 사랑이었다.

그 사람을 떠올릴 때마다 그것은 진화라도 한 듯 더 자세한 형태로 나의 생애를 쥐고 흔든다. 나는 이 모든 것이 겨울의 시샘 탓이라고 생각한다. 아무도 몰래 품은 사랑이 겨울의 따가운 눈초리에 더는 숨을 곳이 없어진 것이라고. 혼자 쓸쓸하게 사랑하는 일이 너무 힘에 부쳐 그만두고 싶어질 때도, 그 사람의 엉뚱한 행동과 웃음 한 번이면 그 마음이 눈 녹듯 사그라진다. 또다시 내 마음을 불살라 사랑을 이어간다.

사랑은 전혀 다른 성질의 바다를 끊임없이 넘나드는 것이다. 어느 쪽이든 익숙해질 틈이 없다. 환희와 고통, 어떤 감정에도 오래도록 머물지 못한다. 온탕과 냉탕에 번갈아 들어가기를 일부러 반복하는 것만큼이나 어리석다. 하지만 우리는 찰나의 기쁨과 온기를, 진하게 우러나오는 쾌락을 외면할 수 없다. 그래서 사랑이 불멸하는 것이다. 우리 삶에서 영영 사라지지 않는 것이다.

몇 번이고 그 사람에게 안녕을 말하려 했지만 그 말은 입속에서 너무 쉽게 증발했다. 머지않아 괴로운 밤이 또 찾아올 테지. 그러나 펑펑 쏟는 눈도 함께 있을 것을 안다. 그럼 나는 밤새 쌓인 눈을 핑계 삼아 그 사람에게 한마디라도 더 붙여보려고, 더 가까워지려고 무던히 애쓸 것이다.

몹시 새하얀 아침이라고, 귀여운 눈사람 하나 만들어주고 싶다고, 오늘은 나랑 놀자고, 나는 너랑 노는 게 제일 재미있다고.

그러니까 우리 동네에 따뜻한 유부우동 같이 먹으러 가지 않겠느냐고.

2장 ◦ 당신을 향한 마음의 눈금

그 누구도 관여하지 못할

당신이 나를 많이 좋아한다는 것을 알고 있습니다. 당신은 가진 하루의 절반 이상을 내게 할애하고, 늘 줄 것이 쏟아진다는 듯 나를 별처럼 밝게 보잖아요. 자주 서툰 나 때문에 당신이 애써 어른이 되고야 만다는 것도 알아요. 내가 열병을 앓기라도 하는 날에는 또 어떠한가요. 당신의 애타는 속이 눈에 보일 정도로 들끓습니다. 당신이 정성스레 내어준 계란죽 몇 숟갈 뜨고서 내가 점점 나아지는 것이, 당신에게는 그리도 만개하며 웃을 일이 되는 건가요. 나의 건강이 당신에게는 그렇게나 만져질 듯 풍성한 행복이 되는 건가요.

당신이 나를 이해하고, 궁금해하고, 편지를 써주고, 껴안아 주고, 간혹 서운해하고, 울음을 터뜨리는 전부가 사랑이라는 것을 알고 있습니다. 당신이 내게 얼마나 많은 진심을 심어두었으면, 하루에도 수십 번씩 내 속에서 그 마음이 발아하는 것을 느낍니다. 그 마음에서 오는 생명력은 말로 다 할 수 없을 만큼의 충족으로 나를 꼼꼼히 채워냅니다. 자극적이지 않은 은은함으로 서서히 물들어갑니다. 당신이 내게 몰두하는 것이 이만큼이나 커다란 힘을 가졌습니다.

당신이 내게 사랑해, 하고 말해주는 것은 너무나도 아름답습니다. 나는 그때마다 그 말이 너무 아름다워서 풀썩 쓰러지려다 말기를 수도 없이 반복합니다. 고작 세 음절의 짧은 단어를 나는 하루가 다 가도록 손으로 꾹 눌러도 보고, 킁킁 냄새를 맡아도 보고, 느리게 곱씹으며 쓰다듬어 보기도 합니다. 당신이 내뱉는 사랑에는 푸른 계절, 구름이 정갈히 놓인 하늘, 깊은 산 속의 맑은 계곡들이 담겨 있다는 것을 알고 있을까요. 당신이 구축한 세상과 풍경을 나의 보금자리라 이름 짓고 이 한 몸 뉘어가며 지낸다는 것을 알고 있을까요.

나는 당신이 나를 많이 좋아한다는 것을 알고 있습니다.

지혜와 순수를 지닌 목소리로 나를 부르는 당신을 무엇보다 동경합니다. 그리고 당신은 잘 모르겠지만 나는 그보다 더 지독한 심정으로 당신을 좋아합니다. 사랑하다 죽어버려도, 일궈온 것들 모두 백지가 되어도 좋을 마음입니다. 누구도 관여하지 못할 만큼 견고한 사랑입니다.

사랑이란 본디 두 폭의 영혼이 만나 오직 하나의 그림을 그려내는 것이며, 각자의 울타리를 넘어 새로운 영토에 맞잡은 손으로 깃을 꽂는 것이자, 시간이 유독 더디게 흘러가는 것이고, 서로가 다인 듯 마음 내어주며 곁에 있는 것입니다. 하물며 우리가 주고받는 감정이야 따져볼 새도 없이 사랑일 것입니다. 기적 같은 현상을 두 눈으로 목격하는 일일 것입니다.

내일도 서로의 곁에 있도록 합시다. 사랑보다 중한 것은 어디에도 없다는 듯 평생 동안 각지에 흩뿌려진 사랑을 그러모아 커다란 다발로 만들어 봅시다. 서로의 일상이, 또 변함없는 이른 아침이 되어주기로 합시다. 나는 당신이 나를 많이 좋아하는 것 이상으로 당신을 사랑하고 있습니다.

사랑의 밀도

사랑받고 있음을 일깨워주는 사람에게 거듭 감사한다. 나는 줄곧 사랑받는 것을 반겨왔지만, 정작 어떤 사랑을 받아야 한껏 충만해지는지 알지 못했다. 받고자 하는 사랑의 형태에 나조차도 확신이 없었다. 헌신에 가까운 애정을 발치에 철철 쏟아주기를 원했다가도, 아무도 몰래 그어둔 내 삶의 선 안으로 발 들이지 않고 조용히 아껴만 주기를 원하기도 했다. 사랑다운 사랑이어야 했고, 영원하기라도 할 것 같은 포부가 눈에 훤해야 했지만, 동시에 나를 전부 덮칠 만큼 압도적인 것은 싫었다. 모순이었다.

제멋대로인 내 마음의 틀에 어느 누구도 온전한 애정을 채워내기를 꺼렸다. 그럼에도 그 사람은 망설이거나 뒷걸음치지 않고 웃으며 왔다. 살금살금 애정을 천천히 부어주었다. 넘치지 않을 만큼, 그러나 부족하지는 않게. 알려준

적 없어도 내가 만족할 만한 사랑을 주었다.

내가 받고 싶은 사랑을 정의하는 것은, 내가 아니라 내게 밀도 있는 사랑을 주고자 하는 사람의 몫이었다. 너무나도 고마운 사람. 그 사람과 느리고 밀도 있는 사랑을 하며 게으르게 살아가고 싶다.

모든 계절에 꽃과 숲이
한시도 시들지 않도록

나에게 사랑이란, 네 몫의 아름다움을 자꾸만 태어나게
하는 것.

너의 삶을 와자지껄 함께 거닐 둘도 없는 동료가 되는 것.

네가 겪는 절망이라면 모조리 내 호주머니 깊숙이 숨겨
주는 것.

두 손 맞닿기 위해서라면 바다며 산이며 멀고 높은 곳인
들 고민 없이 뛰어넘는 것.

너의 늦은 밤을 어지럽히는 진청색 우울 위에 하나둘 움
트는 별의 빛을 전부 쏘아 주고 싶은 것.

그리하여 돋아나는 고통 없이 단잠을 이루기를 간절히 바
라는 것.

너의 눈을 가만히 바라보고 있으면 왠지 모르게 울 것 같
은 시울이 되는 것.

네게 건네는 모든 사랑의 은유에 진실만을 욱여넣는 것.
끊임없이 계속되고, 계속해서 더해지는 것.
네가 머무는 곳 어디에나 있어 주는 것.

이렇듯 사랑이란, 함께 나는 모든 계절에 꽃과 숲이 단 한
시도 시들지 않게 되는 것. 모든 환희와 아픔을 함께 겪고
만 싶은 것.

모든 사랑은 시작의 기대 속에 섣불리 영원하다.

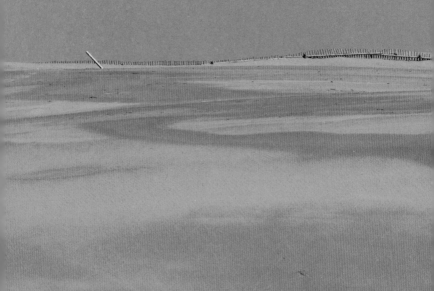

사랑은 늘 인간을 옳게 만들고,

두텁던 마음의 껍질을 스스로 벗겨내게 하고,

신조차 어지럽게 할 만큼 강한 힘을 지녔다.

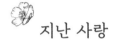 지난 사랑

지난 사랑은 어떤 사고의 오랜 후유증 같다. 죽을 것처럼 힘들지는 않아도, 전부 잊었다 싶을 때마다 불쑥 드리워서 흉이 덧나게 한다. 아픔을 똑똑히 상기시킨다. 영영 사라지지도 않고 어딘가로 떠나갈 생각도 없다는 듯 머문다. 여전히 마음 한 귀퉁이에 존재하고 있음을 투정으로 알리는 것처럼. 차게 식은 얼굴로 툴툴거리면서.

그것은 충분히 견딜 수 있지만 견딜 수 없다는 착각을 불러일으키고, 죽을 것처럼 힘들지 않지만 자칫 죽을 수도 있겠다 싶은 위협을 준다.

진했던 사랑 하나를 보낸 뒤에는 솔직하지 못했던 순간을 후회하고, 곱씹고, 무너지고, 안도하고, 또 후회하기를 늘 반복한다. 마음과 다르게 쏟아낸 말들은 언제나 곪은 채 나와 공생한다. 이렇게 해야 했는데, 저렇게 해야 했던가, 하며 돌이킬 수 없는 순간을 다시 손에 쥐려 버둥거린다. 다른 상황을 만들 수 있었을 모든 경우의 수를 대입하고 나와 상대의 달라진 표정을 도둑처럼 몰래 숨어 상상한다. 왜 후회는 이별의 꽁무니를 꿈처럼 졸졸 따르는가. 무엇 때문에 그 둘은 사랑 앞에서 괜한 동의어가 되는가.

누구나 사랑의 환상을 실현하려 부단히 애쓴다. 특별하고 드라마 같은 모습을 좇고, 머릿속에 도면처럼 체계적으로 그려놓은 계획에 실수가 생기지 않기를 간절히 바란다. 그러나 이상과 현실은 매번 평행한 선처럼 접점이 없고, 그 괴리는 감당할 수 있을 만큼 미비한 폭풍이 아니다. 이 절망의 단계에서 많은 이들이 휩쓸리고 부딪히며 사랑과 동떨어진다.

사랑은 아무짝에도 쓸모없을 것 같은 일로 실컷 울고 웃는 것일 텐데. 현실의 벽을 무리하게 뛰어넘으려 않고, 벽 아래 작게 핀 풀꽃을 발견하고 함께 허리를 조금 숙이는 일일 텐데.

사랑은 쉬지 않고 한 방향으로 흐른다. 무슨 수를 써도 멈추는 법 없다. 만남과 헤어짐은 그 흐름에 섞여 나아가느냐, 조금씩 등지고 거꾸로 걷느냐의 문제이다. 잘못된 선택과 망설임 탓에 떠나보낸 사랑은, 시절이라는 이름을 지닌 채 시시각각 멀어진다. 모든 시절은 허공에 띄우고 손으로 휘휘 저을 수밖에 없는 그리움으로 남는다.

만일 내가 그때 다른 선택을 했다면 어땠을까.
적어도 사랑 앞에 만일이라는 말은 영원히 만일로 존재할 뿐이다.

사랑은 이미 지나간 뒤에 되돌아오는 법이 없으니까.
끊임없이 멀어지기만 할 뿐, 마주할 일 없으니까.
그 탓에 '지난 사랑'이라는 말이 유독 애달픈 것일지도.

푸르렀던 청춘의 기억. 안녕한가요, 물을 수도 없이 먼 시절. 자신의 감정에 솔직하지 못했던 과거. 잘 지내려 애쓰다 보니 정말 잘 지내게 되는 것. 후유증 그 이상도 이하도 아닌, 완전히 이해하지 못한대도 좋을, '지난' 사랑.

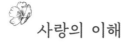 사랑의 이해

내가 품은 사랑이 전부 내 마음대로 된다면 얼마나 좋을까. 마음처럼 순탄히 흘러간다 해도 결코 그 감정을 쉽게 보지 않을 자신 있으니. 하나 사랑은 늘 내딛는 걸음과 달리 거꾸로 뜀박질해대고, 좇으려 할수록 간극은 기하급수적으로 넓어진다. 왜 인간을 가장 황홀케 하는 감정이 동시에 인간을 가장 무자비하고 초라하게 만드는 것인가. 무엇 때문에 사랑은 온 생애를 꽃피우게 할 만큼 따뜻하면서도, 가진 모든 것들을 태워버릴 만큼 드높은 온도를 지녔나. 사랑의 이면은 너무나도 잔악하다.

모든 사랑은 시작의 기대 속에서 섣불리 영원하다.

이름을 부르고, 손을 잡고, 세게 포옹하고, 입을 맞추고,

차례를 기다렸다는 듯 섞이는 혀와 혀, 완전히 벌거벗은 채 맞닿는 몸. 모든 사랑의 과정에 영원을 기대하고 확신한다. 그러나 대개 섣부른 영원은 품은 의미처럼 쉽게 바스러진다. 주워 담을 수 없을 만큼 산산조각이 나고 내 존재 이유를 앗아간다. 두 번 다시 돌려주지 않을 것처럼 멀리 달아난다.

끝내 이별을 맞닥뜨린 이들은 사랑이 머물렀다 간 가슴께를 아프게 쓸어내리며 말한다. 이렇게 완벽히 무너질 줄은 정말 몰랐네. 거짓이다. 언젠가 철퍼덕 넘어져 엉엉 울게 될 걸 알면서도 그곳으로 향하는 것이 사랑이다. 사랑은 시작과 동시에 불안히 끝을 내다보게끔 하니까. 그러나 예상 가능한 모든 결말 주변으로 희뿌연 무언가를 콸콸 쏟아붓는 것. 그리하여 어떠한 결말도 미리 내다보지 못하게끔 방해하는 것. 당장에 들끓는 이 행복만이 삶 전체를 아우르게끔 하는 것. 이 또한 사랑이다. 처한 모든 상황과 자질구레 부정적인 감정들을 아무렴 상관없게 만드는 것.

사랑만이 나를 행복하게 하고, 얄밉게 속이고, 착각하게 하고, 살게 하고, 죽고 싶게 한다.

나의 모든 자아를 철저히 집어삼킨다.

그럼에도 사랑. 다신 없을 인생의 아름다움을 꿈꾸며 불나방을 자처하는 사람들. 날갯죽지가 사랑의 불씨에 속절없이 타들어 가는 모습을 축제의 폭죽이라 여기는 대담함. 사랑은 쟁취하려는 이들에게 기꺼이 무너질 용기를 심는다. 사랑을 하려거든 다치는 것 따위 감내해야 한다고 여기게끔.

사랑이라는 사건은 이미 그 속에 흠뻑 속해버린 뒤에야 인지할 수 있는 것이다. 그렇기에 위험과 잔악함에 대해 미리 언질을 준다 한들, 대비하고 일찍이 피하는 것은 불가능에 가깝다.

늘 그렇듯 사랑은 인간을 구원해줄 생각이 없고, 그럼에도 처절한 길 위에 기쁨에 찬 얼굴로 선 이들이 있기에 사랑은 사라지지 않는다. 우리들의 삶에 언제든 쏟아질 수 있다. 이러니 우리가 어떻게 사랑 없는 곳에서 살아갈 수 있단 말인가. 어떻게 사랑을 마주치지 않고 다음으로 건너갈 수 있단 말인가.

어차피 사랑 없는 곳에 터전을 꾸릴 수 없는 것이라면, 죽지 않고서는 어찌해도 사랑과 공생해야 한다면, 나는 기꺼이 사랑과 담대히 마주하는 삶을 택하겠다. 마음처럼 되지 않고 나를 자주 무너뜨린대도 사랑을 하며 살겠다. 감히 사랑을 이해하려 들지 않고, 사랑을 이해하지 못하는 나를 이해하며 살아가겠다.

사랑은 그런 거니까.
한번 당신에게로 향한 이상 멈출 수 없는 거니까.

너도 꽃 피어?

꽃이 핀다.
너도 꽃 피어?

나는 길가에 흐드러진 꽃들을 하나씩 건드려보느라 산책
길이 길어졌어. 좋은 것, 예쁜 것, 여린 것을 보면 네가 생
각난다. 봄꽃들은 가볍고 자유롭고 기뻐 보여. 꼭 네가 내
게 쥐여 준 자격처럼. 또 사랑하는 법을 알려주지. 꼭 네가
내게 그랬던 것처럼.
봄에 피는 꽃들은 향이 그리 뚜렷하지 않대. 뽐내지 않
아도 누구나 찾아주기 때문일까. 하긴 아무도 시킨 적 없
는데 저절로 눈이 가더라니. 좋은 사랑이 다 그런 것처럼.
뽐내지 않고 시키지 않아도 찾아주고, 바라보고, 다가가
는 것.

너를 사랑하는 것이 내게는 꼭 봄에 핀 꽃에 이끌리는 것 같아서, 그렇다면 이건 좋은 사랑일까, 하다가 문득 마음 가득 든든해진다. 미리 챙겨놓은 책가방처럼. 사람을 몹시, 깊이 사랑하는 내가 하필 사랑한 게 너였고, 그게 어쩌면 좋은 사랑일지도 모른다는 게 다신 없을 감격 같아서. 맑은 날 볕을 쬐듯 모두 회복하는 것만 같아.

덕분에 들뜬 기분으로 네게 봄편지를 쓴다. 주고 싶은 사랑을 철철 담아 곱고 곱게 접어 보낸다.

그곳에도 꽃이 피어?

사랑아, 여긴 지금 어린 분홍을 띠는 꽃이 지천으로 피어.

3장 감사를 건네다

누구보다 찬란할 우리의 동행

의심 없이 좋은 사람이 되고 싶어지는 계절.

 한 모금의 사랑

계절과 어울리지 않는 무더위 속에서도 사람들은 각자의 누군가를 사랑하고 대화하며 스스로를 돌보고 있었다. 삶과 사람을 사랑하는 일이 곧 자신의 소중함을 잊지 않았다고 만천하에 선언하는 것임을. 초록이 무성한 오월, 나는 또 한 모금의 사랑을 배웠다.

나와 함께 살아 있자

벌써 여름이다. 무엇 하나 온전히 신경 쓰지 못하고, 뜻대로 해결하지 못한 채 여기에 있어. 잘해보려 뜀박질로 건너온 시간엔 가쁜 숨만 덩그러니 놓여 있는 거야. 수많은 꽃이 피고 지는 동안에도 나는, 그리고 너는 어지러운 마음 돌보는 데에만 열중했잖아.

초조하고 지루한 삶. 그게 늘 우리 두 눈을 가리고 고개를 떨구게 만들어. 꿈의 맑던 색을 바래게 해. 그럼에도 어쩔 수 없이 또 눈을 떠야 한다면, 괜찮은 척 멈춤 없이 살아가야만 하는 게 우리네 삶이라면, 이 오류 같은 날들을 함께 견디자. 자주 눈을 맞추고, 안부를 묻고, 아무도 몰래 통곡했던 순간을 공유하고, 가끔 웃고 자주 슬퍼하며 사실 아무것도 아니었을 불안을 훨훨 날려 보내자.

내가 알아줄게. 이따금 무너지는 네 여정의 힘겨움을, 지나친 허기에도 식탁에 걸터앉아 울음만 쏟는 너의 허무를 내가 다 이해할게. 좋은 핑계와 구실이 잦은 이 여름에, 우리가 우리를 챙기자. 괜찮아. 부서지고, 움츠러들고, 망가지고, 살고 싶지 않고, 투명해져 야위는 순간도 나와 함께 살아 있자. 씩씩하지 않더라도 어떻게든.

자랑하고 싶은 사람

누가 뭐래도 너는 내게
뽐내고 싶은 자랑이야.

어떤 자리에 가든 네 자랑으로
순간을 가득 채우고 싶을 만큼
너를 진심으로 아끼고 있어.

네 잘난 점을 전부 나열한다면
이곳이 금세 울창해질 거야.

그러니 주눅 들지 말고
언제나 당당하게 살자.
어깨 활짝 펴고

매사 위풍당당하게 걸어.

그래야 네 삶에
즐거움이 머리까지 출렁일 테니까.

이왕이면 네가
너 자신의 귀함을 똑똑히 알게 되어서,
어디서든 사랑받는 사람으로
나아가기를 바라고 있거든.

참 멋진 사람.
너무 착해서 탈인 사람.
남을 위할 줄 아는 좋은 사람.
무엇보다 나에게 가장 중요한 사람.

이다지도 수많은 긍정의 언어가
전부 너를 수식하고 있으니,
어떤 일도 두려워하지 않아도 돼.

애들아, 다 괜찮아

애들아, 괜찮아. 아무것도 틀리지 않았어. 고통을 참으며
살아가지 않아도 되고, 굳이 무언가를 채우려고 애쓰지
않아도 되고, 불안과 초조함을 이상하다 여기지 않아도
되고, 눈물을 참으려 괜스레 힘주지 않아도 되고, 무너지
지 않으려 꼿꼿이 버티지 않아도 돼. 잘하지 않아도 되고,
뒤처졌다 속상해하지 않아도 되고, 쉽게 포기했다 자책하
지 않아도 되고, 모두 망쳐버렸다 절망하지 않아도 돼.
이기적이어도 괜찮고, 모른 척해도 괜찮고, 예민해도 괜찮
고, 거기서 멈춰도 괜찮고, 완벽하게 해내지 못해도 괜찮
고, 엉성한 실수가 잦아도 괜찮고, 평범하지 않아도 괜찮
고, 모진 인간관계에 주눅 들어도 괜찮고, 도망치고 숨어
들어도 괜찮고, 지켜내지 못했대도 괜찮고, 견뎌내지 못했
대도 괜찮아.

우스워져도 되고, 기꺼이 가져도 되고, 주고받아도 되고, 마음껏 펼쳐 봐도 되고, 의기소침해져도 되고, 눈치 보지 않고 기뻐하거나 슬퍼해도 되고, 충동적으로 행동해도 돼. 자주 우중충해져도 좋고, 종종 간사해져도 좋고, 내 행복만 중요히 여겨도 좋고, 한껏 조여졌다가도 금세 타래처럼 힘없이 풀어져도 좋아.

사랑에 실패해도, 사랑으로부터 등 돌려도. 사랑이 나를 밀어냈대도 괜찮아. 틀린 거 하나 없이 정말 다 괜찮아.

사람이 세상 위에 처음 놓일 때 가장 먼저 하는 일이 커다란 울음을 터뜨리는 거니까. 슬픔과 울음은 단지 그런 것일 뿐이니까. 동이 트면 오래된 슬픔 하나 정도는 활활 타 없어지고 말 거야. 그러니 떠나지 마. 떠나지 말자. 그저 살아내자, 우리. 너희에게 이 말 꼭 한 번은 해주고 싶었어.

수많은 긍정의 언어가

전부 너를 수식하고 있으니,

어떤 일도 두려워하지 않아도 돼.

계절의 공기

계절이 바뀔 때
물씬 나는 밤공기 냄새
너무 좋지 않니.

바다가 불러주는 노래가
여기까지 닿은 듯해.

볕이 잔뜩 찾아든 날

장마가 한창인 시기에는 반가운 손님처럼 불쑥 찾아드는
몇 없는 맑은 날이 귀합니다. 짧은 하루 이틀 볕에 잔뜩 그
을린 기억은, 비 오는 거리에서 춤을 출 용기로 바꾸어 씁
니다. 오늘은 날이 참 맑아, 하고 말하며 헤실헤실 웃음을
뒤섞을 수 있는 사람이 옆에 있다면 더욱이 완벽한 여름
의 심장부가 되겠지요.

오늘은 비 한 줌 없는 장마철이었습니다.
그러는 우리는 오늘은 날이 참 맑았어, 하며 각자 가지고
있던 웃음을 나눠 가져야만 하겠습니다.

돌려받지 않아도 좋을 온기

따뜻한 사람이 좋다. 입가로 흘려내는 말의 형태와 짓는 표정, 그리고 자그마한 손짓과 펄럭이는 몸짓으로부터 데이지 않을 만큼의 온기가 뿜어져 나오는 사람이. 내가 불안 속으로 서서히 빠져들고 있다거나, 온몸에 슬픔을 덕지덕지 묻혀대는 모습을 가만히 두고 보지 않는 사람이.

그들은 넉넉한 마음과 서글서글한 미소로 나를 안녕에 이르게 한다. 내게 건네는 말에는 왠지 계절감이 묻어난다. 한껏 들이쉬고 싶을 만큼 향이 짙고, 은연중에 두리번거리며 기다리게 되고, 손끝으로 조심히 만져보게 되고, 벚나무 군락이나 무성한 숲, 붉게 물든 단풍이며 달가운 첫눈들처럼 기록하여 담고 싶어진다.

타인을 믿을 수 없을 만큼 밀도 있는 배려로 대해주는 이들은, 나눠줄 수 있을 정도의 안온함을 품기 위해 보이지 않는 곳에서 부단히 애쓴다. 다정함은 천성이 아니라 꾸준한 단련과 노력의 결실이기 때문이다.

그렇기에 나는 내게 베풀어진 온기를 잠시 빌려온 듯 귀히 여긴다. 배로 얹어 갚아야 하는 마음의 빚이라고. 그들이 아등바등 몸부림을 치는 때가 온다면 나도 따뜻한 도움이 되려 한다. 돌려받지 않아도 좋을 온기를 마음껏 베풀고 싶다.

하늘을 올려다보는 일

빈틈없는 하루의 언저리에
하늘 한 번 올려다보는 일이
얼마나 투명한 생명력을 수확하는 일인지.

얼음의 한 면 같은 하늘의 단단한 피부에
눈빛을 살살 비벼대는 일이 곧
온 생애의 달아오른 울음 식혀주는 일임을.

무심코 올려다본 어느 하늘이
내가 가진 삶을 얼마나 돋보이게 하는지.

얼마나 이 고된 마음 다독여주는 일인지.

그대는 오늘 하루 고개 젖혀
하늘을 올려다본 적 있는가.

그렇다면
가슴께에 숨어 있던 아름다움과
기꺼이 마주했는가.

내 것이 아닌 듯한 아름다움 앞에
또 한 번 주저앉아
엉엉 울음을 쏟아냈는가.

주워 담자.
내 호주머니에서 튀어나온 것처럼
황급히 주워 담자.
내 것이 아닌들
잽싸게 짓이겨 온몸에 펴 바르자.

등 곧게 펴고 춤이라도 추며
이 아름다움이 내 것임을 공표하자.
찌르는 향을 널리 퍼뜨리자.

이 아름다움은 내 것이다.
눈을 부릅뜨고 지켜내자.

주눅 든 그대는 어찌해도 아름답다.
그러니 힘껏 살아라.

당연했던 평범한 하루

상해버린 사랑은
미련 없이 떠나보내는 것이 맞다.

마음 다해 사랑하다 놓친 것을
후련히 날려 보내는 그 순간
밤낮없던 울음은 가고 고요가 온다.

도저히 삭혀질 기미가 없던
미움이나 공허 따위의 감정도
언제 그랬냐는 듯 숨을 죽인다.

잠에서 깨는 일과 잠이 드는 일,
밥을 먹는 일과 길을 걷는 일,

음악을 듣는 일과 하늘을 보는 일에
더는 슬픔을 섞지 않게 된다.

이제껏 필사적으로 사랑했던 것을
어떻게 한순간에 등질 수 있느냐고,

이미 들어버린 정이 깊고
뼛속까지 익숙해져버린 삶이
바짓단을 붙들고 놓아주지 않는다지만,

사실 그건 이제는 혼자 남게 될
앞날의 두려움이 잉태한 착각에 가깝다.
그것을 사랑했던 지난날의 수고가
모두 재가 되어버릴까 겁이 나는 것이다.

온 힘을 다해 사랑했던 그 시절을
버려진 기쁨이라 생각지 말고
온전히 내 삶의 조각으로 받아들이면
비로소 허무와 슬픔이 한껏 덜어진다.

아주 가끔 그리워하되
애달프게 보고 싶어 하지는 말고,
그런 사랑을 한 적이 있었지 회상하되
어떠한 슬픔과 미련에도 얽히지 말자.

이곳에 사랑은 공기와 물처럼 많다.
그러니 당신도 그만 평범한 하루를
흠뻑 만끽할 때가 되지 않았는가.

외로운 사람들

우리 모두가 괜찮은 어른이 되기 위해
무던히 애쓴다는 걸 알고 있다.
괜찮은 어른이라는 게 도대체
무엇인지 알지도 못하면서.

어쩌면 우리는 모두
외로운 사람일지도 모르겠단 생각을 한다.

누군가와의 반가운 만남에
발을 동동 구르며 기뻐하다가도
헤어짐 뒤의 혼자 남은 시간을
필연적으로 마주하게 될 때면
걷잡을 수 없는 쓸쓸함에 꿀꺽 삼켜지지 않나.

이따금 나의 고된 삶을 탓하며
아무도 모르게 서러운 울음을
엉엉 터트리기도 하고

혹여 울음 멎게 해줄 사람이
내 앞에 불쑥 나타나주지 않을까
고개를 길게 빼서 두리번거린다.

외로움이 무수한 우리라서
내내 사람의 온기를 그리워하고
나누는 대화 속에서 다신 없을
행복을 목격하기도 하는 우리라서

혼자 남겨지는 순간이 싫고
헤어지는 것이 너무나도 싫어서
우리는 모두 사랑을 하려는 게 아닐까.

괜찮은 어른이 되고 싶다는 마음도
손을 쓸 수 없이 외로워지는 순간도
근사한 사랑 앞에서는 무의미해지고 말 테니까.

우리가 서로를 애틋이 마주 보며
이렇게 생각할 수 있다면 좋겠다.
'나만 이토록 힘든 게 아니구나'
'당신 참 기특하다. 용케도 잘 버텨내고 있구나'
작게나마 서로를 응원해주면 좋겠다.

단언컨대 당신은 혼자가 아니다.
절대 그렇지 않다.
내가 이렇게 당신을 응원하고 있다.
당신은 충분히 괜찮은 어른으로 커가고 있다.
낙엽처럼 풍성한 색으로
예쁘게 예쁘게 잘 익어가고 있다.

완벽한 이해

타인을 완벽하게 이해하는 것은 불가능하다. 타인도 나라는 존재를 전부 이해할 수 없다. 이해할 수 없는 영역을 못내 인정하지 못할 때, 우리는 고통 속에 외로워지고 이해하려 애쓴 만큼 슬퍼진다.

나는 나 자신도 다 알지 못하면서 상대에게 이해를 바라고 모든 것을 이해할 수 있다며 떵떵거렸다. 베일에 싸인 타인의 속내를 모두 알아내고 이해하려 맨손으로 가시덤불을 헤집길 수없이 반복했다. 그 과정에서 생겨난 생채기를 노력의 증표로 삼고 스스로를 위안했다. 끝끝내 잃고만 사람들에게 책임을 지우고, 나는 할 수 있는 것은 다했다며 애먼 내 마음만 세게 걸어 잠갔다. 오만이고 욕심이었다. 당신의 마음을 다 이해한다는 오만, 그리고 내 마음을 모두 이해받으려는 욕심.

전부는 아니어도 나를 이해해주려고 마음 쓰는 사람이 있다는 것에 감사하자. 내가 이해할 수 있는 만큼 이해하는 것에 만족하자. 완벽한 이해라는 것은 애초에 불가능에 가까운 일이므로.

무언가 끝나거나 떠나버린 후

유독 가슴이 뭉개질 듯 아리다면,

그것을 대하고 품었던 내 태도와 마음이

생각보다 진심이었기 때문이다.

인연의 희한함

생각해보면 인연이라는 것은 얼마나 희한한가. 우리가 연을 맺은 이들 중 누구도 이 사람과 철저히 엮이고 말겠다며 계획한 적 없다. 그럼에도 약속이라도 한 듯 당당히 서로의 삶에 발을 들인다. 언제부터가 시작이었는지 알 수 없을 만큼 은밀하게. 그러나 조금도 불편하지 않도록.

처음 말을 섞고 눈을 마주친 순간은 때에 따라 선명히 떠올릴 수도 있다지만, 우리 사이에 진동하는 절친함은 어느 순간부터였던가 도무지 알 길이 없다. 이름조차 간신히 기억한 채 지내온 사람과 편하게 마주 앉아 밥을 먹게 되기도 하고, 그리 탐탁지 않았던 사람에게 치부를 허심탄회하게 털어놓게 되기도 하는 것. 참 희한하고 값진 것. 그렇기에 쉽게 재단해서는 안 되는 것. 언제 어디서 만난 누군가가 나의 삶을 통째로 견인해줄지 아무도 모르는 일이니까.

당연하게 여기거나 섣불리 기대하지 말아야지. 넘치도록 의지하되 초조해하지 말아야지. 인연으로 내 삶 위에 놓여준 것에 마음껏 고마워해야지. 가볍고 헤픈 마음으로 등을 돌려버리는 일 없게 해야지.

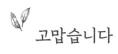

고맙습니다

고마워요. 오로지 나의 행복만을 바라줘서. 나를 애써 바꾸려들지 않고, 존재하는 모습 그대로를 삶에 불쑥 들여줘서.

그 마음이 참 곱습니다. 아무도 나를 눈여겨보지 않을 때, 당신만이 나를 뜬눈으로 봐줬어요. 한낮의 눈덩이 같은 사랑을 양껏 굴려줬어요. 전부 녹은 그 사랑으로 나는 지금까지도 마른 목을 축이고 있습니다. 들이켜는 내내 감도는 맛이 어찌나 달큼하던지, 텁텁한 살갗 위로 봄꽃 돋아나는 듯했습니다. 세계가 들끓는 듯했습니다. 만물이 시기 질투할 만한 사랑이에요. 그토록 대단한 당신입니다.

비할 바 못 되겠지만, 당신에 버금가는 사랑을 드리고 싶어요. 요령 없어 울긋불긋 촌스러운 사랑이라도 힘껏 드려요. 그 덕에 당신이 하루분의 행복이라도 만끽하기를 바라면서요. 덕분에 나는 착각인 듯 아찔하게 행복하거든요. 당신의 바람대로, 당신의 사랑에 힘입어 나는 아주 많이 행복하거든요. 그러니 내 것을 빠짐없이 가져요. 나는 생각보다 따뜻한 것을 많이 가지고 있답니다.

영영 하고야 마는 이별

강아지를 가족으로 맞이한 이후로 필연적 헤어짐에 대해 생각한다. 이 생에 다시는 서로의 두 눈을 마주할 수 없는 이별. 먼 훗날의 이야기로 치부하기엔 아이의 수명은 십 년 남짓이고, 평생 함께 살아온 가족들과 같은 온도의 정이 쌓이는 데에는 오랜 기간이 걸리지 않았다.

강아지의 시간은 인간과 다른 속도로 흐른다. 아이는 시간의 흐름이 매겨준 순서대로 새하얀 아기였다가, 미운 동생이었다가, 둘도 없는 친구였다가, 나보다 먼저 늙어 곁을 비우게 될 것이다.

아이에겐 내가 느리게 자라는 것일 테지. 길다고 말할 수 없는 시간 동안 아이에게 아름다운 사람이고 싶다. 커다란 아빠였다가, 투닥거리는 오빠였다가, 둘도 없는 친구였다가, 마지막 날숨을 내뱉는 순간까지도 집 근처 잔디밭으로 함께 산책하고 싶은, 마음 놓고 기댈 수 있는 보호자이고 싶다.

헤어짐이 필연이라면, 그곳에 닿기 전까지 아이에게 무수히 많은 우연을 선물하고 싶다. 혀를 길게 내빼고 웃으며 내게 힘차게 달려오는 순간을 자주 만들어주고 싶다.

생에 다신 없을 인연

아무것도 아닌 말에도
왠지 모를 따스함과
나를 향한 배려를 담아내는 사람이
지금 곁에 있다면 놓치지 말아요.

너무 잔잔하고 때로는 시시해서
소중함을 자칫 알아채지 못할 수도 있지만,
그런 인연은 무척 중요한 순간에
대체 불가능한 존재로 내게 오는 법입니다.

오랜 장마가 모두 물러가고 난 뒤
화창하게 갠 새파란 하늘처럼,
곁에 당연하게 머물러주던 것들은

크나큰 슬픔을 겪고 나서야
비로소 선명해지기 마련이니까요.

겉만 번지르르하고
속은 텅 비어있는 위로
작위적인 말들이야 마음만 먹으면
누구든지 쉽게 내뱉을 수 있습니다.

하지만 이유 모를 따스함과
나를 향한 배려를
습관처럼 자주 건넬 줄 아는 사람은
분명 생에 다신 없을 인연입니다.

늘 나를 짙은 애정으로 대하고,
나의 행복을 진심으로 바라고,
나의 모든 행보를 응원하고 있어야만
그제야 가능해지는 마음이니까요.

우리는 애먼 곳에서
나를 아껴주는 사람을 찾으려 하지만,

정작 내가 놓쳐서는 안 될 사람은
항상 가까운 곳에서 머무르는 법입니다.

오래도록 함께할 인연이란,
언제나 내 옆을 든든히 지켜주는 사람이에요.
그런 사람이 내 영향권에 있는 것보다
더한 축복은 어디에도 없을 것입니다.

혼자 남겨지는 순간이 싫고

헤어지는 것이 너무나도 싫어서

우리는 모두 사랑을 하려는 게 아닐까.

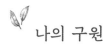

나의 구원

나를 완전히 망가지게 두지 않는 사람 하나 덕에 살아낸다. 발을 헛디뎌 하염없이 낙하하는 나를 단번에 건져 올리는 사람. 쏟아내지 못해 사방으로 부풀어 오른 내 이야기를 가만히 들어주는 사람. 돈 십 원 한 푼 받지 않고도 내 푸념을 귀담는 사람. 내가 줄 수 있는 건 가난한 애정뿐이지만, 나는 그들에게서 사라지지 않을 행복과 새것의 삶을 얻어낸다.

그러는 나는 괜한 농담 같은 말씩이나 툭툭 건네며, 벅차오른 감사를 가벼운 척 깊숙이 전한다.

삶이란 본디 쓸쓸한 것이기에, 고독의 영향 아래 사는 사람은 필사적으로 애정할 존재를 만들며 살아간다. 선택이 아니라 생존의 필수적 수단으로써. 무언가를 열렬히 사랑하지 않고서는 다리가 후들거려 주저앉기 일쑤이기에. 모든 감정에는 총량이 있다지만, 쓸쓸함은 일평생 살아가면서 견뎌내야만 하는 필연에 가깝다.

때로는 휩싸인 쓸쓸함을 도저히 이겨내지 못할 것 같아 악랄한 고통을 고의로 찾아다니기도 한다. 주량을 훌쩍 뛰어넘어 술을 진탕 마셔대고, 줄담배를 피우고, 부러 음울한 영화와 음악을 보고 들으며 스스로를 구렁텅이로 빠트린다. 옳지 않더라도 밀려오는 쓸쓸함으로부터 멀리 달아난다. 그러는 동안 신체적으로도, 마음 내적으로도 서서히 병들고 망가져 가는 것이다.

그러나 나는 끝내 완전히 망가지지 못한다.
내가 잘게 부서지는 꼴을 두고 보지 못하는 이들,
그들은 나의 지나친 나약함을 용케도 제때 포착한다.
나는 그들에 의해 구원에 가까운 도움을 받는다.

혼자서도 충분히 헤쳐갈 수 있음을 장담했던 지난날을 아무도 몰래 지워낸다. 자주 은혜를 입고, 가끔 베풀며 살아간다. 생존의 수단으로 쭈뼛쭈뼛 건네기 시작했던 애정이,

시간 지나며 점차 행복의 진원지로 자리한다. 고작 삶의 편린에 불과했던 관계들이, 내가 가진 전부의 전부가 되어 간다.

혼자서는 아무것도 할 수 없다는 사실을 인정하는 것이 즐겁다. 그들의 도움을 받아야 내가 살 수 있다는 것이 자존심 상하지 않는다. 엉뚱하고 유치하더라도 그들은 내 삶을 손쉽게 견인할 힘을 가졌으니.

쓸쓸함은 기어코 나를 망가트리려 들겠지만 그 꼴을 두고 보지 못하는 이들 덕에 나는 오늘을 살아낸다. 열심히 살아, 꾸역꾸역 번창해서 네가 나를 먹여 살려, 많이 벌고 많이 모아서 절반은 나 줘, 하는 우스갯소리로 그들에 대한 감사를 돌려 전하면서.

한 발 한 발 어렵게 가도 괜찮다고, 누군가의 눈에는 고작 몇 번의 꿈틀거림으로 보인대도 괜찮다고 믿고 싶다. 꼭 이 넓은 세상에 전부 발 디디며 살 필요는 없다고. 당장 현관문을 열고 걸어 나가 숨을 크게 들이쉬는 것만으로도 큰 용기이자 기쁨인 거라고.

모두가 한 발 나아가고 있다

모두가 한 발 나아가는 과정 안에 있다. 여기에는 녹록지 않은 고난과 평화가 함께 있다. 힘듦이 한 폭도 차지하지 않는 삶이 과연 멋진 삶인가. 행복만이 팽배하고, 순탄하기만 한 삶에서의 행복이 진정 이상적인가.

춤추는 별을 낳으려면 마음속에 혼돈을 품고 있어야 한다는 니체의 말처럼, 수없이 휘청이고 굳건하기를 반복하는 삶의 형태를 있는 그대로 이해하고 사랑해야 한다. 고통이 앞서지 않은 행복의 쾌락은 없으니만 못하다. 이 세계에 발 디디고 겪는 모든 고난은 행복의 밑거름이요, 품고만 있던 찬란한 별과 비로소 마주하기 위한 자잘한 장애물일 뿐이다.

마음껏 재미있게 살자. 눈치 보지 말고. 누구도 아닌 스스로를 앞장세워 펄펄 나는 듯이. 재미있게 사는 것만큼 고통과 행복을 잘 넘나드는 것은 없다. 즐겁게 사는 것만큼 무너지지 않고 이곳을 버텨낼 수 있는 좋은 방법도 없다.

잘하고 있어

금방이라도 찬 바닥에 털썩 주저앉아버리고 싶을 때면 내게 잘하고 있다는 말 한마디 넌지시 내밀었던 어떤 이를 떠올린다. 인간을 단단히 자라게 하는 것이 적당한 불안과 고통이라지만, 지나치면 성장할 기회를 스스로 놓아버리게 된다. 더 나은 사람이 되지 않아도 좋다며 당장의 힘듦을 잊는 것에 여력을 마저 소진한다. 삶의 방향이 거기까지 치달을 때, 나는 언젠가 귀담았던 말을 한 줌 집어 들어 입 안 가득 집어삼킨다.

잘하고 있다는 말. 괄목할 만한 결실이 아니라 허우적거리는 게 전부였던 과정을 알아주는 듯한 말. 무심코 던졌을지도 모르는 한마디에 오랜 휴식에서나 발견할 활력을 얻어내는 것이다. 어쩌면 내가 정말 잘하고 있는 걸지도 모른다는 이상한 자신감. 그 말을 건네준 이에게 행복에 다

다른 나를 보여주고 싶은 다짐. 나도 진정으로 그의 삶을 응원하고 싶은 담백한 마음. 관계의 선순환이다.

산다는 건 아무래도 그런 게 아닐까. 건강한 마음으로 서로의 편이 되어주며 모질기 짝이 없는 이곳을 어떻게든 헤쳐나가는 것. 우리는 지금 잘하고 있는 것이 틀림없다고, 근거 하나 없더라도 서로 노력의 증인이 되어주면 되는 일이라 말해주면서. 가끔 인생을 잘못 살고 있다는 생각에 손발이 덜덜 떨릴 만큼 두렵다가도, 생의 비루한 뒷면을 거리낌 없이 보여줄 수 있는 내 편의 존재에 모든 불안은 그 힘을 순식간에 상실해버리고 만다.

볕이 잘 들지 않는 비여름, 걷기에 참 좋은 집 근처 길을 하나 알고 있는 것과 그곳을 함께 거닐 수 있는 좋은 사람 하나 아는 것이 어찌나 커다란 위로인지. 괜찮다, 괜찮다, 다 괜찮다, 우리는 정말이지 잘하고 있다, 하며 희로애락 함께할 사람 아는 것이 얼마나 굳은 자부심인지. 당신도 나도 칭찬받아 마땅한 과정에 있음을 분명히 안다. 우리는 잘하고 있다.

문득 그리워지는 것들에 대하여

어려서부터 사람들이 만들어내는 북적거림을 좋아했다.
자연스러운 소란에서만 얻는 에너지를 알았기 때문이다.
이런 천성은 계절에 아랑곳하지 않고 사방팔방으로 흩어
져 사람의 온기를 쫓기 바빴다.

초등학생 때에는 방과 후에 곧장 놀이터로 향하는 동급생
들과 달리, 크고 작은 외침들이 오가는 시장터로 향하는
날들이 잦았다. 생선 위로 날아드는 파리를 휘휘 쫓아내
며 웃어 보이는 아저씨와 하얀 김이 모락모락 피어오르는
어묵 꼬치 하나를 내게 권하는 아주머니, 미꾸라지가 가
득한 대야 앞에 한참을 쪼그려 앉아 구경해도 싫은 소리
한번 하지 않던 할머니에게 인사하고 이야기하는 것이 그
시절 내가 가장 큰 애정을 쏟던 놀이였다. 정겨운 분위기
에 은근슬쩍 섞여 있노라면 갇혀본 적도 없으면서 선명한

해방감을 느끼곤 했다.

시간이 흘러도 나는 꾸준히 사람들의 흔적을 따라다녔다. 내가 어울릴 법한 모임의 구성원이 되기 위해 무던히 애썼다. 그러면서 나의 지나친 이상주의적 관념에 반기를 들지 않는 이들을 여럿 만났고, 그들과는 평소 속으로만 품고 있던 이야기들, 대개 돈벌이에 전혀 도움이 되지 않는 동화 같은 말들을 거리낌 없이 할 수 있었다. 가치관과 시선의 방향이 같은 사람들과 깊은 대화는 가히 황홀했다. 대화에서 얻은 풍족함은 내가 살아 있음을 방증하는 요소이기도 했다.

긴장감 있는 일상을 몸에 바짝 달고 살다가도 마음 맞는 사람들과 왁자지껄한 만남 한 번이면 적어도 며칠은 새 옷을 입은 듯 펄펄 날 수 있었다. 늘 생산적인 대화만 하는 것은 아니었다. 각자 휘청거린 사랑 이야기, 죽고 싶었던 순간과 그럼에도 살아내야 했던 이유 따위의 시시콜콜한 언어들이 대부분이었다. 어디까지가 바닥인지도 모를 만큼 엉망진창이 된 삶에서도, 치부를 거리낌 없이 드러낼 수 있는 사람들 덕분에 헛발질인들 계속해서 나아갈 수 있었다.

십여 년 만에 얼굴을 마주한 학창 시절 친구들과 동네 선술집에서 모임을 한 적이 있다. 잔혹한 한파로 정신 차릴 틈 없는 바깥과 달리 가게는 한껏 달아오른 몸을 식히기 위해 더운 이야기를 잔뜩 쏟아내는 사람들로 가득했다. 그에 우리도 미뤄뒀던 이야기를 쉴 새 없이 끄집어냈다. 입보다 귀를 열기 좋아했던 나는 이야기를 듣는 내내 마음으로 웃었다. 이따금 한 명씩 건배사를 하며 술잔을 고양할 때를 제외하고는 별다른 말을 꺼내지 않았다. 사실 그날 태어났던 이야기들은 허공을 배회하다 찬 공기를 따라 바깥 저 멀리 달아났다.

취기 탓에 남은 기억도 한 줌이 채 되지 않는다. 그럼에도 누군가 가장 행복했던 순간이 언제였는지 묻는다면, 나는 고민 없이 그날을 말할 것이다. 오랜 친구 사이에서만 느낄 수 있는 편안함 덕에 나는 그때만큼은 누구보다도 행복했다. 좋은 사람들이 만들어내는 북적거림은 내게 있어 둘도 없을 치유이니까.

문득 그리워지는 것들에 대해 생각한다. 시간의 흐름에 비례하여 옅어진 것들에 대해. 너무 먼 거리감은 온전히 그것을 그리워할 수 없게 한다 했던가. 지극히 당연했던 일상이 사무치게 그립다. 그러면서도 내가 그 시절을 완벽히 떠올릴 수 있는지, 그릴 수 있는지 꾸준히 의심한다. 점점 효력을 잃어가는 듯한 기도지만, 유배된 몸과 마음이 하루빨리 제자리를 되찾을 수 있기를 바라고 있다.

찬 겨울 모두 지나고 따뜻한 봄이 오면, 우리 모두의 일상이 그 위에 꽃처럼 놓이기를 소망한다. 마침 어머니의 밥 짓는 냄새가 온 집에 활짝 피었다.

3장 ○ 누구보다 찬란할 우리의 동행

보금자리

즐거운 순간마다 생각나는 사람이 있음에 감사한다. 특별히 맛있는 음식으로 끼니를 때웠을 때. 뜬 달이 휘영하게 밝을 때. 눈이 풍성하게 내릴 때나 비가 틈 없이 빼곡하게 쏟을 때. 또 마냥 기쁜 일이 생겼을 때나 우연히 다정한 글을 읽었을 때. 그때 볕처럼 따듯이 떠오르는 사람. 모든 긍정을 함께 나누고 싶은 사람. 그런 사람 앞에서 나는 꼭 엉뚱하고 유치한 인간이 된다. 잘나거나 강하지 않아도 될 것만 같은 편안함이 있기에. 그 안심이 내 속 깊은 곳에 웅크려 숨은 유약함을 어르고 달래 바깥으로 불러낸다. 그래서 애틋한 사람. 겸연쩍고 쑥스러워도, 매 순간 세게 안아주고 싶은 사람. 나의 멋진 인연.

무릇 좋은 인연은 특별할 것이 없다. 함께 노는 게 마냥 재밌을 뿐인데, 그가 이 삶의 전부보다도 한 뼘은 더 되는 것만 같다. 고맙다는 말을 건네면 고맙다는 말이 돌아오고, 마음 써주면 더욱 섬세한 배려가 돌아오고, 오늘의 예쁜 하늘 사진을 보내면 또 그곳의 고운 하늘 사진이 돌아오는 것. 괜한 수고 없이도 마음이 수북하게 차오르는 것. 너무나도 감사한 일.

시절인연

친구들아. 우리도 언젠가는 각자의 삶을 살게 될까. 혹 그렇다면 먼 훗날의 일이라거나, 어쩌면 당장 몇 해 뒤의 가까운 사건이 될지도 모르겠네. 우리도 모르는 사이에 서서히 멀어지는 거지. 다 같이 왁자지껄 대화하며 시간을 점령하는 것도, 함께 누워 밤새 수다를 떨고, 엉엉 울음을 터트리기도 하고, 세상 떠나가라 크게 웃어대는 것도 언젠가는 마지막이 되고 말겠지.

짧다면 짧은 인생에서 몇 안 되는 값비싼 순간들. 꾸밈없는 날들을 훌쩍 건너 각자의 길을 나서게 된다는 사실은, 떠올리는 것만으로 어쩐지 기분이 너무 아득해진다. 사무칠 만큼은 아니더라도 울컥 그립고, 옅은 미소로 그윽이 회상하게 되는 것. 우리가 모인 사진을 보고 이 사람들은 누구냐 해맑게 묻는 아들딸들에게, 어린 시절 제일 친했던 친구라 자랑하듯 알려주게 되는 것. 끝내 우리가 맞닥뜨리게 될 덤덤한 미래일까.

우리에게 닥칠 헤어짐이 불가피한 것이라면, 지레 움츠러들지 말고 최선을 다해 지금을 즐기자. 그때까지라도 서로의 튼튼한 버팀목으로 살자. 축하할 일과 함께 분노해야 마땅한 일이 생긴다면, 언제라도 모여 회포를 풀자. 그리고 내내 건강하자. 영영 남길 만한 추억일 수 있게. 될 수 있는 한 오래도록 보자.

헤어짐의 끄트머리

누구에게나 절절했던 옛사랑은 고마움과 미안함이 공존하는 미묘한 기억으로 남는다. 이미 훌쩍 지나온 길이기에 걸음을 돌릴 수 없더라도, 내딛는 길목마다 밑거름의 형태로 나를 맞이한다. 그 사랑이 지난날의 나를 웃자라게 했거나 크나큰 상실의 고통을 안겨줬다 한들, 시간이 지나 옅어지고 지워져 추억으로 덩그러니 남는다.

헤어짐의 아주 끄트머리에는 사랑의 이점만이 빛을 발한다. 동시에 우리는 무언가에 심장을 쪼이기라도 한 듯 번뜩이며, 자신을 지금껏 멀쩡히 살아 있게 하는 것이 사랑이라는 것을 문득 깨닫는다.

있는 그대로 한 사람을 사랑하는 일은 얼마나 어려운가.

하지만 우리는 고됨을 자처했고, 멋지게 이뤄냈다. 비록 지금은 무르고 터져 뿔뿔이 흩어졌어도 인연이란 틀 속에 서로를 얌전히 묶어뒀고, 사랑에 힘입어 불가능할 것 같던 삶을 개척했고, 세상에 존재하는 모든 초록과 하양을 둘러쓴 채 애정을 속살거렸다. 손쉽게 별을 땄다가 붙여졌다가 하며 누군가를 맹목적으로 사랑하지 않았었다. 사랑이 예스러워진 지금도 우리는 사랑에 의해 살아 있다 해도 과언이 아닌 생을 힘껏 건너고 있다.

대부분의 사람은 사랑을 하고, 사랑을 잃기도 하고, 결국 사랑의 영향권 속에 남은 날을 지난다. 지난 사랑을 어떻게 기억하는지는 나의 몫이다. 아무도 볼 수 없고 읽을 수 없으니, 제멋대로의 자재들로 기억의 울타리를 구축한다. 헤어지는 순간에 보였던 못난 모습을 폐기하고, 잘못 채워진 단추를 다시 똑바로 끼워두고, 일부러 웃고 떠들거나 가슴 뜨거워졌던 순간들로만 꾸역꾸역 쌓아 올린다. 그럼에도 계속되는 헛헛함은 도대체 무엇일까. 왜 끝없는 총성이 가슴을 관통하고 저릿함 앞에 머뭇거리게 되는 것일까.

자신의 감정에 솔직하지 못했고, 지난 사랑 앞에 당당하지 못했으며, 해묵은 앓음과 제대로 화해하지 못했기 때문이다.

실패한 사랑으로 남겨두지 않기 위해 온갖 휘황찬란한 것들을 가져다 걸고, 입혀주고, 색을 칠해댔기 때문이다. 자신의 오만과 구질구질함과 최악에 가까웠던 모습, 상대방의 날 선 표정과 불투명하던 눈물과 아리고 쓰린 말들은 자신조차 보지 못하는 곳에 꼭꼭 숨겨둔 채 거짓으로 애틋함을 꾸며냈기 때문이다. 그러니 자질구레한 감정들까지 겸허히 인정하고 옛사랑을 향해 고마움과 미안함을 표현할 줄 안다는 것이 얼마나 성숙한 일인지.

그토록 쌀쌀함을 남기고 떠난 사람을 어찌 한 톨도 미워하지 않을 수 있겠느냐만, 미움마저 사랑의 조각으로 삼고 시절의 앙금을 보듬어 줄 수 있는 성숙함을 갖추고 싶다. 잊으려고 구태여 애쓰지 않는 것. 가끔 그리워하되 애달프게 보고 싶어 하지는 않는 것. 그런 사랑을 한 적 있었다고 회상하되 슬픔과 미련에 얽히지 않는 것. 실패의 인정과 끄덕임에서 오는 배움을 앞으로 겪을 사랑에 무럭무럭 부어주는 것. 이것이야말로 옛사랑에 보여줄 수 있는 올곧은

예의가 아닐는지.

온종일 그간 걸어온 날들과 그곳에 발자국으로 찍힌 사랑에 대해 생각했다. 지금은 흩어지고 지워졌을지라도 한 번씩은 흔적을 남겼던 것들에 대해. 그 흔적들을 한 걸음씩 앞서며 성장해왔을 나에 대해. 그리 생각하니 원망과 울음 따위 너무나도 가벼워지는 게 아닌가.
당신의 아픈 옛사랑도 천천히 묽어졌으면 좋겠다. 더디더라도 언젠가 사랑을 사랑 그 자체로 볼 수 있게 되기를, 당신이 겪은 모든 사랑의 쓸쓸함에 따뜻한 옷 한 벌 입혀줄 수 있게 되기를 바라고 있다.

절절했던 옛사랑의 기억 앞에 편안하고 수더분한 웃음으로 우뚝 서게 되기를.

내 몫의 걱정

가진 용기 모두 잃고 들킨 도둑처럼 자신을 숨겨 살던 때,
친구가 나를 밖으로 끄집어내며 말했다. 나보다 한 바퀴나
뒤져 있는 두려움이나 슬픔 따위를 일찍이 걱정할 필요는
없다고. 그런 삶이라면 영영 도망치는 것밖에 되지 않는다
고. 옳은 말이었다. 그동안 나는 상상에 가깝다 해도 과언
이 아닌 먼 슬픔을 당장 겪을 것처럼 움츠려 살았다.

일어나지 않았다면 내 슬픔이 아니고 내 몫의 걱정이 아
니다. 매일 아침 창문을 열어 집안을 환기하며 그날의 하
늘을 올려다보고, 누군가와 와르르 수다스럽게 전화 통화
를 하고, 눈앞의 묵직한 사랑을 만끽하며 안도의 숨을 내
뱉는 것. 좋은 것들만 지르밟으며 나아가도 되는 삶이다.

저는 나와 당신이

고통을 이 계절에 묻고

다음으로 갈 수 있기를 바라고 있습니다.

서로의 위로가 됩시다, 우리.

엄마가 하늘로 가는 꿈

엄마―

엄마는 절대 하늘나라로 이사 가지 않을 거지? 거기에 사는 사람들이 아무리 살기 좋다 꼬드겨도 나랑 아빠랑 형을 두고 가지 않을 거지? 언제까지고 내가 아침에 눈을 떴을 때, 부엌에서부터 달그락거리는 소리가 들려오게 해줄 거지? 나 마음 여린 거 엄마가 제일 잘 알잖아. 엄마가 나를 훌쩍 떠나버린다면, 내가 말도 못할 상처를 받게 될 거라는 걸 엄마가 제일 잘 알잖아. 어쩌면 내가 그 길로 다시 일어나지 못할 수도 있다는 걸 제일 잘 알잖아. 그렇지?

엄마―

내가 아무리 몸집이 이만큼이나 커지고 생각이 많아졌다고 해도, 엄마 눈에는 아직 작고 소중한 어린아이인 거지?

세상 모든 일을 스스로 해낼 것처럼 가슴을 부풀렸지만, 사실 엄마 없으면 밥 한 끼 제대로 차려 먹지 못하는 철부지라는 걸 알고 있지? 그러니까 저 멀리 하늘에서 살 생각은 접어두고 오래도록 나랑 살자. 알겠지?

엄마─
내가 요즘 너무 힘에 부쳐. 그래서 엄마가 더 애틋하고, 괜스레 찾게 되는 건가 봐. 문득 엄마가 죽으면 어쩌지, 싶어 무서워진 거 있지? 온몸에 한기가 들 정도로 말이야. 이제 곧 여름인데도 꼭 한겨울에 놓인 것 같았어. 그러지 않을 걸 아는데도 겁이 나. 나한테는 엄마 사진도 많이 없잖아. 엄마, 우리 서로 평생을 마주할 수 없게 되었을 때, 그때 내가 엄마를 추억할 수 있는 것들이 한가득 생기기 전에는 절대 헤어지지 말자. 이기적인 거 잘 아는데 내가 엄마 없이도 꿋꿋하게 나아갈 수 있게 되면, 그런 때가 오면 그때는 엄마가 가고 싶은 곳으로 마음 편히 이사 가도 좋아.

모든 불안은 새벽녘에 엄마가 나를 떠나 하늘로 가는 꿈을 꾼 탓이다. 잠에서 깨자마자 안방 문을 벌컥 열어젖혀 곤히 자는 엄마를 확인하고는 안도했다. 규칙적으로 오르

내리는 호흡이 너무도 고마웠다. 이젠 혼자서도 잘할 수 있는 것들이 많아졌다 자부하며 건방을 떨었던 내가 한심해졌다. 아직 엄마 없는 세상을 살아갈 자신이 없다. 나는 아직 동이 트기 전 어두컴컴한 거실에 홀로 앉아,

엄마-
하고 나지막이 흐느꼈다.

운명을 타고 태어난 사람들

마음이 약해졌을 때, 감정을 둘러싼 껍질이 꽃잎처럼 여려졌을 때 삶에 드는 인연을 경계해야 한다. 내가 구원을 바라는 마음으로 반갑게 맞이한들, 다른 속내를 품은 채 여린 껍질을 쉽게 찢으며 오는 이들이 있기 때문이다. 약해진 마음은 이성적 판단을 어렵게 한다. 의도하지 않은 순진함을 내비치기도 한다. 손쓸 새도 없이 이용당한 순진함은 괜한 자책을 유발하고, 걷잡을 수 없을 만큼 지독한 고독으로도 이어진다.

삶에 새로운 누군가를 불쑥 들이는 행위는 어느 것에도 섣불리 동하지 않을 만큼 내 마음이 정돈된 후일이 되어야 한다. 감정에 충분히 솔직하고, 어떠한 결과를 마주하든 배움으로 흡수할 수 있는 건강한 마음일 때 이루어져야 한다.

행여 인연을 놓치는 건 아닐까 염려된다면, 필연이 지닌 운명의 성질을 믿어보자. 내 사람이 될 운명을 타고 태어난 사람들. 그들은 내 마음이 언제 어떤 계절에 힘입어 활짝 문을 연다 해도 이제 막 도착한 듯 웃으며 손을 흔들어 보일 테니.

옳은 사랑 보관법

오래도록 사랑을 지탱하는 사람들은 서로를 한껏 존중한다. 주고받는 둘의 언어에 습관적인 배려가 묻어나는 사랑에는, 관계에 위협이 될 만큼 격한 다툼이 잘 일어나지 않는다. 안녕한 사랑은 서로가 서로에게 건네는 따스한 언어를 잉태하고, 그렇게 나고 자란 사랑은 누구도 흉내 낼 수 없는 둘만의 숭고한 고유성을 띤다.

수년 전, 절친한 지인 부부의 기념일 파티에 초대받아 참석한 적이 있었다. 채 열 명이 되지 않는 소소하고 아기자기한 자리였는데, 공교롭게도 나를 제외하고 모두가 연인이거나 부부였다. 그들은 하나같이 나직하고 이타적인 말로 서로를 대하고 있었다. 아무도 시키지 않았지만 서로를 살피며 필요한 것을 물었고, 거르지 않고 고맙다는 말로 감사를 전했다.

취기가 조금 오른 나는 늘 그랬듯 내뱉는 말을 줄이고 듣는 귀를 크게 넓혔다. 누군가의 사랑을 발견하는 것으로부터 세상의 따뜻함을 스스로에게 증명하는 터라, 그들이 자신들의 사랑을 어떻게 가꾸는지 귀 기울이게 되었다.

분위기가 무르익자 한 연인이 오 년의 연애 끝에 결혼하게 됐다는 소식을 알렸다. 우리는 누가 더 요란하게 축하하는지 내기라도 한 듯 동시에 환호성과 박수를 쏟아냈고, 소식을 알린 연인은 화답하듯 서로의 손을 꽉 잡은 채 웃음을 지었다. 이내 분위기가 진정될 기미가 보여 나는 나도 모르게 차오른 궁금증을 불쑥 내뱉었다.

결혼을 결심하게 된 계기가 무엇인지 뻔하고도 진부한 질문으로 붉어진 그들을 더욱 부끄럽게 만들었고, 아름다운 예비 신랑 신부는 서로를 잠시 응시하더니 어렵지 않다는 듯 "이 사람이 나를 대하는 태도와 건네는 말들에 날카로움이 하나도 없어서"였다고 했다.

다른 부부와 연인들이 그에 격하게 동의했고, 나 또한 사랑의 실재를 보게 된 것에 속으로 탄성을 내질렀다. 이후에도 꽤 오래 '사랑을 오래도록 유지하는 법'이 우리의 화

두에 올랐다. 모두 입을 모아 말했던 것은 '시간이 지나도 서로가 주고받는 언어의 부드러움은 변하지 않아야 한다' 는 것이었다.

같은 상황과 같은 대화더라도 순간적인 기분에 따라 사랑하는 사람에게 모난 말을 건네서는 안 된다. 상대가 일방적으로 모난 태도와 언어를 쏟아낸다면, 결국 나머지 한 사람은 자신을 일부러 파내어 뾰족함을 받아주게 된다. 매번 받아주는 사람은 언젠가 지쳐 풀썩 주저앉을 수밖에 없고, 그때부터 관계는 회복 불능 상태에 진입한다는 것이다.

그렇게까지 치닫지 않기 위해서는 스스로의 마음부터 습관적으로 서로가 우선이어야 할 것이다. 거칠한 언어를 깎아내고 다듬어 상대에게 건네기를 거듭해야 한다. 관계에 일어나는 마찰열을 줄여 둘의 사랑의 온도가 급변하는 것을 막아야 한다.

모난 말과 속에 둔 적 없는 뿌리 삭은 말은 멀쩡한 사랑에도 곰팡이를 피운다. 그러니 허리를 숙이고 조용히 품을 열어 포옹 같은 언어를 주고받아야지. 잔병치레도, 열병도, 숨이 멎을 만큼 억센 병도 없는 건강한 사랑을 품기 위해서. 말에 움푹 찔린 사랑의 공백을 메울 수 있는 묘약은 어디에도 없을 테니. 말을 흘리는 입술을 쓰다듬는 손바닥인 듯해야지.

모든 사랑에는 저 나름의 형태가 있고 정해진 것이 없어 가르치고 배울 것 또한 없다. 어떠한 모습으로 자라나든 사랑을 가꿔가는 이들의 몫이다. 하지만 적어도 너무 귀해 오래도록 간직하고 싶은 사랑이 있다면 사랑을 지키기 위한 손톱만큼의 노력은 해볼 수도 있는 게 아닌가. 사랑에 활력을 불어넣는 건 위대하기보다 작고 가벼운 행동으로 이루어지는 법이니.

오래도록 잘 사랑하는 사람들의 언어에는 늘 적당한 온기와 배려가 담겨 있는 것처럼.

사랑은 늘 인간을 옳게 만든다는 역설

결혼 후 처음으로 친구와 여행을 떠난 아내에게서 사진 한 장이 도착했다. 사진에는 파도가 가볍게 훑고 간 모래 사장 위에 우리 집 강아지와 고양이인 블루와 베리, 나와 아내의 이름이 삐뚤빼뚤 그려져 있었다. 그래, 이게 내가 이 사람을 사랑하게 된 이유였지. 여전하네. 떨어져 있어도 한 시도 나를 잊지 않는 것. 이 사람이 내게 주는 꾸준한 애정이자 내가 그토록 열망했던 사랑이었다.

아내는 연인 시절부터 내게 단단한 소속감을 선사했다. 사랑의 결속을 거르지 않고 틈틈이 증명했다. 자신이 가진 울타리 안에 나를 쟁여뒀다가 하루도 잊지 않고 찾아왔다. 타고나기를 외로움에 허우적거리는 내게 그보다 더한 사랑은 있을 수 없었다.

요지부동인 나를 어디로든 데려가주는 사람이 간절했고, 아내는 그런 간절함을 알아차린 듯 자기 발목과 나의 발목을 끊어지지 않는 끈으로 세게 묶었다. 나는 내가 받고자 하는 사랑이 충만히 채워지고 있었으므로 더 줄 것이 많다는 눈을 하고 있던, 아내를 아주 많이 사랑하게 됐다.

내게는 언제나 화목한 가정을 꾸리고 싶은 꿈이 있었다. 가족 모두 서로에게 헌신하고, 뒤돌지 않고, 우리의 만남이 운명임에 틀림없다고 말하며, 유한하지 않은 어느 것을 속속들이 주게 되는 집을. 부모님과 형에게 배운 가족의 화합을 스스로 일궈내고 싶었다.

그러기 위해 내가 먼저 충만한 사랑을 받아야겠다고 생각했다. 내가 가진 사랑을 조금씩 풀어놓아도 되겠다 싶을 만큼의. 선천적일지도 모르는 공허의 배를 그득그득 불리고자 하는 욕망 때문이기도 했다. 어떤 사랑이 와야 가능해질는지 한 치도 알 수 없지만, 일말의 불안 없이 내 마음을 우수수 쏟아낼 수 있는 사랑을 받고 싶은 건 분명했다. 그런 사랑은 생명력이 짧을 수밖에 없다는 주위의 말에 반박조차 하지 못했어도, 몹시 이기적인 욕심이라는 것을 자각하고 있었음에도 나는 어찌할 방도가 없었다. 그저 내가 사랑받고 있다고 느껴야 전부를 내어주는 것에 익숙해져 있었고, 방어적인 태도로 많은 것들을 지켜낸 경험을 토대로 행동에 옮긴 것이었다.

나를 둘둘 싸매고 있던 철 지난 껍질을 아내는 보란 듯이 찢어내고 벗겨냈다. 내가 이만큼의 사랑을 네게 줄 테니, 너도 그에 부합하는 사랑을 내게 줘. 대신 이 마음을 주고받는 데에 계산 따위의 쓸모없는 것들을 집어넣지는 마. 내가 주는 사랑으로 네 욕망을 전부 채우되, 안주하지 말고 만족하지도 마. 서로 사랑할 수 있음에 감사하고, 사랑의 종류를 따지지도 말고, 모든 사랑은 숭고함을 인정하고, 마치 사랑이 삶인 듯 살아, 라고 말하는 듯 나를 벌거벗겼다.

나는 하나도 수치스럽지 않았고, 순식간에 평생을 달고 왔던 욕망이나 이기심이 유령처럼 사라졌고, 풀린 동공으로 생각지도 못한 사랑에 매혹됐으며, 사랑은 늘 인간을 옳게 만든다는 역설을 순순히 인정했다.

우리는 적지 않은 갈등을 겪고, 손쉽게 해결하고, 다시 또 으스러지기를 반복하며 마침내 결혼을 약속했다. 둘 중 누구도 서로에게서 완전히 도망치지 않음이 배후의 역할을 톡톡히 해냈고, 지금의 가정을 이뤄냈다. 어디에도 속하지 못해 길을 잃기 일쑤였던 내가, 이제는 어디로 나아가든 다시 돌아갈 곳이 있다. 이토록 견고한 소속감이라니. 휘발성이 강한 사랑이라지만, 우리의 믿음이라면 매 순간 새로운 사랑을 서로에게 들일 수 있겠다 싶은 확신이 있다. 날아가고 흩어져도 영영 없어지지 않는 사랑임을 이제는 안다.

사랑은 영원히 탐구해도 전부를 알 수 없다. 그러므로 우리는 여전히 사랑을 확인하고자 부단히 애쓴다. 모든 것이 마음 같지 않은 이 세상에서 누구도 사랑의 전부를 깨우치지 못하겠지만, 사랑이라는 감정을 이 사람과 일평생 알아가려 했을 때 문득 움찔움찔 기대하게 된다면, 그것만으로 마냥 옳다.

내가 사랑이라는 테두리에 묶인 내 가족의 이름들을 파도처럼 계속해서 힐끔 들여다보는 것처럼.

곳곳에 만개한 행복을 찾으며 살아가자고.

무언가 앓고 있다면

잠시 멈춰 서서 뒤로 휘청 넘어져버리자고.

안식의 계절

멈춰 선 곳마다 가을이 고여 있습니다. 퍼내려 하지 않아도 몸의 끄트머리마다 가을 향기가 뚝뚝 떨어지고 있었어요. 생각만큼 풀리지 않는 일을 잠시나마 마음 깊숙한 곳에 숨겨두고 큰 숨을 들이쉬었습니다. 이상하리만큼 손쉽게 내쉰 숨에는 안도와 1인분의 평안이 얹혀 있었습니다. 한껏 물렁해진 몸과 마음의 표면을 때마침 낙하하던 이파리 서너 장이 빼곡히 채웠습니다.

시시때때로 모습을 바꾸는 호수의 윤슬에 눈이 부셔 나는 그만 주저앉고 말았어요. 울음 없는 추락이었습니다. 슬프지 않은 무력 속에서 나는 어쩐 일인지 활기찬 삶을 건너고 있었습니다. 잃은 만큼 채워지는 기분이 들었습니다. 비워지고 끝없이 앙상해짐에도 박수갈채가 들려오는 이 계절을 보고 더없이 감탄했습니다. 꼭 넘쳐버린 것들을 스스로 비워내고 끝없이 덜어내고 있는 듯했습니다. 쉴 새 없이 바스락거리는 소리가 한 치도 멀어지지 않았으면 좋겠다 생각했어요. 아무래도 가을이 지닌 용기를 배우고 싶었던 모양입니다.

떨어지지 않는 걸음을 힘겹게 떼고 문득 떠오르는 이들에게 속으로나마 안녕을 묻습니다. 지나온 순간을 예쁘게 둘둘 말아 타래로 보관하는 것은, 언제든 길게 풀어 그곳으로 향하는 길 헤매지 않고자 함일까요. 또 한 번 안녕을 묻고 이렇게 바랍니다. 매 순간을 기쁨으로 보낼 수는 없겠지만, 곳곳에 만개한 행복을 찾으며 살아가자고. 무언가 앓고 있다면 잠시 멈춰 서서 뒤로 휘청 넘어져버리자고. 시간이 흘러 다시 바지를 훌훌 털고 일어날 때쯤, 발치에 돋아 있을 새순을 꼭 눈에 차게 담으시라고.

그리고 나의 가을이 우리의 안식으로 지기를 바라고 있습니다.

거만한 예견

나는 우리가 결혼하게 되리라는 것을 일찍이 눈치채고 있었습니다. 당신과 처음 통성명을 하고, 관심사를 묻고 답하고, 서로의 치부나 비밀을 하나씩 고백하고, 훗날 우리의 생활을 상상해보고, 뻔하게 밥을 먹고 술을 마시는 일상을 나눌 때부터 확신했습니다. 전에 없던 넉넉한 마음이 우리를 쭈뼛쭈뼛 맴도는 것을 목격했기 때문입니다.

당신의 목소리를 조용히 곱씹을 때마다 드디어 목적지에 닿은 기분이었습니다. 꿈에 그리던 일평생의 안식을 벌써 이룬 것 같아 들떴습니다. 이 사람이구나, 싶더군요. 오래도 걸렸구나. 경솔한 만남으로 마음의 허기를 달래야 했던 수고도 이제는 끝이구나. 더는 내 사랑을 낭비하지 않아도 되겠구나. 우리는 결국 결실을 보겠구나.

당신은 지나치게 확신하는 나를 몇 번이고 진정시켰습니다. 어떻게 미래를 호언장담할 수 있으며, 무엇을 믿기에 그렇게 분명히 말할 수 있느냐고 타박을 주기도 했습니다. 나는 짓궂은 어투로, 삼십 년쯤 뒤의 미래에서 왔기에 전부 알 수밖에 없다는 시답잖은 농담이나 던져댔습니다. 이후로도 그 농담 같은 진담은 나의 근거 없는 확신에 큰 변명거리가 되었습니다. 나조차도 내가 정말 미래에서 왔던가, 착각할 만큼이었습니다.

아이러니하게도 우리 사이에는 짠 것처럼 비슷한 사건이 잦았습니다. 오늘 하루 종일 들은 음악과 방금 주문한 책이 똑같다는 가볍고 우연한 일부터, 당신의 부모님이 결혼했던 날에 내가 태어났고, 당신 어머니의 어릴 적 별명과 내 어머니의 이름이 같다거나 하는 우연치곤 운명적인 일까지. 일일이 나열하기도 벅찰 만큼 많은 순간이 당신의 불신을 지웠고, 내 확신에 살을 덧붙였습니다. 끼워 맞추는 우연일지라도 우리에게는 어떠한 마법보다도 신비로운 일이었습니다. 당신이 마침내 억울해서 미치겠다는 표정으로, 정말 미래에서 온 것이냐 묻던 장면을 나는 여전히 사랑하고 있습니다.

생전 처음 느껴보는 감정과 점차 가까워지는 확신의 실재에 지레 겁을 먹기도 했습니다. 지나친 확신이 외려 불안과 초조를 잉태했습니다. 눈썰미가 꽤 좋은 편이었지만, 어림짐작으로는 결론을 낼 수 없는 미지의 일이었습니다. 슬픔도 기쁨도 그 어느 것도 예상되지 않았으니까요. 자칫 사기극이 될 뻔했던, 난 미래에서 왔으니 우리의 미래는 꼭 내다본 것처럼 훤하다는 농담을 저지른 판국에 먼저 꼬리를 내리고 물러설 수 없는 노릇이었습니다.

그러나 당신만이 엉망진창의 나를 일으켜 세울 수 있었고, 내 손에는 나 하나 믿고 전부를 건넨 당신의 결심이 쥐어졌고, 우물쭈물 얼버무리기에는 당신을 좋아하는 마음이 폭설처럼 애틋했기에, 앞으로 곱절은 더 쌓일 것이어서,

우리는 나의 예언대로, 확신대로 결혼을 하게 된 것일지도 모르겠습니다.

나는 지금도 여전히 당신에게 농담을 던지는 것이 즐겁습니다. 아침이고 밤이고 수시로 장난을 치고 싶거든요. 미래에서 왔다는 농담을 이제는 쉽게 끝내고 싶지 않습니

다. 더는 사기극이 될 염려를 할 필요가 없기도 하거니와 매번 의심하면서도 속아주는 당신이 좋기 때문입니다. 나는 우리가 결혼하게 되리라는 것을 일찍이 알고 있었습니다. 제 거만한 예견에 기꺼이 동참해주셔서 고맙습니다.

나를 강한 사람으로 만드는 당신

나를 기어코 강한 사람으로 살게 하는 이들이 있습니다. 사랑과 사랑으로 엮인, 피보다도 진한 인연. 그러면 나는 혼자서 결코 낼 수 없는 괴력을 갖습니다. 누군가를 번쩍 안아 들어 빙빙 도는 일이 하나도 힘들지 않게 됩니다. 나를 내려놓고 그들을 추켜세우는 일이 당연해집니다. 무책임한 삶을 저지르래도 그럴 수 없습니다. 그런 존재가 무려 셋이나 됩니다. 나는 사랑하는 아내와 금빛 강아지와 은빛 고양이를 온전히 지켜내고 싶습니다. 그들이 성한 몸과 마음으로 남은 생애를 만끽하도록 두고 싶습니다. 유약하기 짝이 없는 내게 그럴 재주가 있을까요?

닳고 닳아 구멍이 나도 좋으니, 가진 사랑 전부 그들 위해 쓸 수 있을까요?

아내의 손을 잡고 봄 길을 걷습니다. 볕이 이리로 오는 기척을 느낍니다. 약간의 땀이 송골송골 맺혀도 선선한 바람에 금세 식어버립니다. 맞잡은 손과 종종 껴안는 품이 조금도 불편하지 않은 것입니다. 나와 노는 것이 재미있다 말하는 아내의 노을빛 눈 속을 헤집습니다. 다시는 빠져나오지 못할 곳으로 미끄러져 들어갑니다. 나비가 팔랑 날고, 어린 이파리 파르르 몸을 떨고, 마지막 꽃잎 한 장까지 활짝 피어납니다. 봄을 사는 만물이 우리의 사랑을 축복합니다. 나는 잠깐의 거역도 못하고 아내의 잰걸음을 놓침없이 따릅니다. 사랑으로 사랑으로 빈틈없이 쫓습니다.

가족이라는 이름으로 만난 금빛 강아지와 은빛 고양이는 또 얼마큼의 사랑인가요. 내가 가는 곳 어디든 졸졸 뒤따르는 눈동자가 너무도 맑습니다. 때 묻은 삶을 담그면 말끔히 지워질 것만 같습니다.

함께 잔디밭 위를 푸르게 뛰노는 순간, 혀를 길게 빼고 헤벌쭉 웃는 얼굴. 아무 생각도 없이, 정말 아무 생각도 않고, 머리로 문장을 조립하는 일을 아주 멈추고, 나를 슬프게 하는 모든 것들의 앞에 높은 벽을 세우고, 이리 와 옳지 잘했어 아이구 예쁘다 하하 호호하는 소리만 귀에 담기는 시간. 나의 금빛 강아지 블루.

한바탕 산책을 마치고 들어선 현관. 토독토독 걸으며 가장 빠르게 나오는 마중. 오늘은 어떤 풍경을 묻히고 들어왔는지 철저히 살피는 작은 코. 이내 짧게 울며 뒤집는 하얀 배. 부드러운 털과 배를 살살 문지르며 얻어내는 평안. 손등에 흠뻑 비벼대는 귀여운 이마. 내가 가진 우울을 훔쳐가는 의로운 도둑. 나의 은빛 고양이 베리.

사랑은 눈에 보이는 것보다 훨씬 근사합니다. 절대 거스르지 못할 책임감을 동반한대도, 감내하고 나란히 걸어가게 합니다. 짊어진 무게가 부담스럽지 않습니다. 더러는 분별력을 잃고 서로를 할퀼 때도 있지만, 생채기를 다시 봉합하고 아물게 하는 것 또한 서로의 몫이 됩니다. 서로가 귀여운 사랑의 공범이 되는 것입니다. 논리적이지 않기에 솔직하고, 걸어낼 불순물 하나 없으니 모두 들이켜도 괜찮은. 이것은 사랑입니다.

언젠가 아내가 내게 전생에 무슨 일을 해냈기에 이렇게 멋진 당신을 만났을까 말한 적 있습니다. 믿기 힘든 말을 믿을 수밖에 없게 하는 표정이었습니다. 나는 늘 그런 기분을 주고 싶었습니다. 더 신속히 움직이고, 더 많은 사랑을 만들어야 한다고 생각했습니다. 몸과 마음이 제법 바빠졌습니다. 그럼에도 얼굴 하나 찌푸려지지 않습니다. 너무 신나는 조급함이다, 기꺼이 완수하고 싶은 일이다, 나는 생각했습니다.

온갖 꽃이 내 시선의 겉면을 뚫고 탁탁 피어납니다. 꽃이 아닌 곳 없습니다. 그러니 모두 죄가 없는 이가 됩니다. 이리도 아름다운 세상이니 모두 결백한 사람이 되고 맙니다. 각막에 씐 사랑이 내가 좋은 것만 볼 수 있게 합니다.

사랑을 하면, 그 사랑이 흉내 낼 수 없을 만큼의 고유성을 띠게 된다면, 온 세상은 곧 나의 것이 됩니다. 하나의 세상을 가꿀 통치권이 주어집니다. 내가 사랑하는 이들은 사랑을 통해 나를 강한 사람으로 만듭니다. 내가 해야 할 일은, 모두가 결백한 고운 세상이 더욱 풍요롭도록 돕는 것입니다.

사랑하는 나의 아내와 금빛 강아지와 은빛 고양이가,
내내 사랑이고 금빛이고 은빛이도록 애쓰는 것입니다.

고요

호숫가 물결 위로 투신한 볕은
저들끼리 소란스럽기 그지없다.
그것은 무엇보다 나를 고요하게 만든다.

나를 제외한 소란에서부터 파생된 외로움은
때때로 나를 가장 편안한 상태로 인도한다.

홀로 덩그러니 놓였을 때
전에 없던 축복을 떠안기도 한다는 말이다.

다시 오고야 말

나는 완연한 봄이 참 좋습니다. 곧 여름이 되고야 말. 이곳에는 내가 좋아하는 초록이 지천에 흐드러져 있기 때문입니다. 파릇한 이파리를 앞에 두고 서 있으면 많은 것을 떠나보낼 수 있겠다는 용기가 생깁니다. 꽉 쥔 손을 기꺼이 놓을 수도 있겠다고 생각합니다.

마음 다해 사랑했던 것들을 후련히 보내주면, 어떠한 형태로든 봄처럼 여름처럼 다시금 내게 오고야 맙니다. 기분 좋은 반복입니다.

그러니
무엇이든 너무 두려워 마시기를.

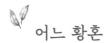 어느 황혼

"할멈, 그동안 나랑 사느라 고생 많았어요. 이제 눈 편히 감고 저 멀리 극락으로 가라고. 내 금방 뒤따를 테니까."

할아버지가 힘없이 누운 할머니를 지그시 내려다보며 말했다. 할아버지의 손은 빈틈없이 희끗희끗한 할머니의 머리칼을 쓰다듬는 데에 여념이 없었다.

"할배요… 너무 성급하게 채비하지 말고, 아직 못다 한 세상 천천히 구경하다가 정 심심하다 싶으면, 더 볼 것도 없다 싶으면 그때 와요."

할머니가 말했다. 하늘이 도운 걸까. 십여 년 넘게 치매를 앓았던 할머니의 정신이, 마치 무슨 일이 있기라도 했었냐는 듯 순간 맑아졌다.

"모르는 소리! 여태껏 당신이랑 눈에 담고, 입으로 맛도 보고, 귀 쫑긋 세워 들은 것들로도 충분한걸요." 할아버지가 서글서글한 눈을 초승달처럼 얇게 접으며 말했다.

"할멈이야말로 살림하랴 자식들 걱정하랴, 제 몸 하나 챙길 여유도 없이 바쁘게 살았음서."

"다 그렇게 사는 것을, 뭘 새삼스레 중한 듯이 말해요."

"…그게 뭐 그리 쉬운 일이었을까."

줄곧 덤덤한 표정과 말투로 일관하던 할아버지가, 끝내 참았던 눈물을 주름진 뺨으로 흘려냈다.

"하여튼 주책도 참. 그런 표정을 보고 내 어찌 떠나라고 해요."

할머니가 제 것이 아닌 것처럼 바들거리는 손을 들어, 할아버지의 얼굴을 천천히 쓸었다.

"그렇지? 나도 참 주책이지. 마지막까지 좋은 것만 보고, 좋은 소리만 듣읍시다. 할멈도, 나도."

"그래요. 그래야지."

"참, 여기서 잠깐만 있어 봐요."

별안간 할아버지가 벌떡 일어나 큰방에서 빛깔 고운 자개함 하나를 가지고 나왔다. "내가 뭘 찾았는지 한번 보라고."

할아버지는 세월이 많이 묻은 탓에 녹이 슨 자개함의 손잡이를 조심스레 열었다. 그리고 영롱한 초록빛의 옥비녀

하나를 꺼내 들었다. 옥비녀도 오랜 세월 잊혔던 탓일까. 한눈으로 봐도 낡아 있었다.

"할멈, 이게 뭔지 기억나요?"

할아버지가 그 순간만큼은 어린아이라도 된 듯, 천진난만한 표정을 하며 물었다.

"아이고, 이게 어디 숨어 있다가 이제야 나타났대요."

할머니가 옥비녀를 받아 들며 말했다.

"낡긴 했어도 여전히 곱네, 정말 고와."

"할멈이 내 얼굴도 모르고 팔려 오듯 나한테 시집왔잖아요. 꽃다운 나이에 참 안 됐다 싶었지… 그래도 어쩔 도리가 있나. 그때는 다 그렇게 살았으니 나도 그런가 보다, 하고 할멈을 맞았지." 할아버지가 고개를 바깥으로 천천히 돌리고 무언가를 회상하는 듯하며 말했다.

"몇 날 며칠을 수줍어하면서 나랑은 말도 잘 안 하려 하기에, 내가 없는 주머니 탈탈 털어 사 와서 건네주니 할멈이 얼마나 좋아했소. 할멈 활짝 웃는 얼굴이 꼭 매화꽃 같았어. 얼마나 귀엽고 예쁘던지."

"맞아요. 그랬지… 생전 처음 보는 사람하고 살려니, 얼마나 막막하고 창피했는지 몰라요. 또 당신 외모가 좀 출중했어야지. 도망가고 싶어도 잘생긴 얼굴 한번 보면, 그런 마음 귀신처럼 싹 사라지고 없더라고.”

할머니가 할아버지에게 옥비녀를 다시금 건네며 말했다.

“그렇게 뒤숭숭하던 찰나에, 당신이 옥비녀를 떡하니 주는 게 아니겠어요. 그때 완전히 열었지. 열릴락 말락 했던 마음을 그때야 활짝 열었…”

할머니가 말끝을 흐리며 속 기침을 크게 한번 하고는, 온몸에 힘을 빼고 축 늘어져 누웠다. 할아버지는 이미 마음의 준비를 모두 끝낸 듯 편안한 얼굴로 할머니의 손을 잡아주었다.

“많이 사랑했어요.” 할아버지가 자기 얼굴을 할머니의 귓전에다 조금 더 가까이 가져가며 나직이 말했다.

“정말 많이 사랑했다고…”

할아버지의 깊은 고백이 끝남과 동시에 할머니의 숨이 멎었다. 의료기기의 도움을 받지 않고서도 할아버지는 할머니의 죽음을 단번에 알아챌 수 있었다. 할아버지는 그 후에도 두 시간이 넘도록 할머니의 손을 놓지 않았다. 평생을 함께한 이의 마지막 가는 길을 외롭게 만들고 싶지는 않았던 탓이리라.

시간이 얼마나 흘렀을까. 할아버지는 그제야 굳게 닫혔던 입을 천천히, 아주 천천히 열었다.

"할멈, 박소복순 씨, 넘어지지 말고 사뿐사뿐 잘 가시게."

밖은 할머니가 살아생전에 가장 좋아했던 비가 부슬부슬 내리고 있었다. 할머니의 마지막 가는 길 위에다 작은 선물 하나를 흩뿌리고 있는 것만 같았다. 그때, 아주 곱고 하얀 나비 한 마리가 갑작스러운 비를 피해 처마 밑으로 날아 들어왔다. 할아버지는 고개를 들어 나비를 올려다보며 싱그럽게 웃어 보였다.

우리의 다음 이야기

당신의 삶이 그 흔한 풍파 전부 비껴가는 평안이기를 바랍니다. 여린 이들을 지독히도 괴롭히는 온갖 슬픔이 당신에게만 무심하기를 바랍니다. 따끔거리는 생채기 하나 없이, 연신 쿨럭이고 찡그리는 탈 하나 없이, 다신 없을 해맑음 꽃의 가루처럼 여기저기 흩뿌리며 멈춤 없이 만개했으면 해요. 위험하고 두려운 것 모두 힘없이 죽어난 곳을 거닐 듯 사뿐히 살았으면 해요. 그 휘황한 과정에 제가 작게나마 당신을 지탱할 수 있기를, 저의 잦은 기웃거림이 당신이 벗 삼을 위안일 수 있기를 바라요.

저는 평생에 걸쳐 당신을 따릅니다. 세상에 없는 것을 조각하듯 우리 사이를 세밀하고 색다르게 다듬을 것입니다. 매 순간 준비된 사람으로 여기 있습니다.

저는 앞으로도 매사에 당신에게 지는 사랑을 할 것입니다. 이기지 못해도 분하지 않은 사랑을요. 모두가 저를 바보라 놀려대도 괜찮습니다. 사랑을 배후에 둔 바보는 무엇보다 사랑과 밀접할 수 있으니까요. 사랑을 함에 있어 여유롭게 패배하는 것은, 처참히 무너진 성을 재건하듯 근사하고 희망찬 일이 됩니다.

우리가 살결 따라 패인 주름과 희끗희끗해진 머리칼을 잔뜩 뒤집어쓰고서도, 젊은 마음으로 만나 지금처럼 대화할 한창의 봄날을 상상합니다. 늙어버린 모습과 달리, 기쁨만은 방금 막 쓰인 시처럼 한 자 한 자 생생할 것입니다.
그곳에는 덕분에 굴곡 적은 삶이었다 고백하는 당신이 있고, 본분을 다했음에 긴 숨 내쉬며 느긋이 처지는 내가 있습니다. 노을빛으로 지는 석양, 극적으로 불어오는 바람, 아무도 없는 모래사장, 덩그러니 놓인 파라솔과 의자, 그곳에 나란히 앉아 끝내 이룩한 평생의 평안을 축하하는 우리들. 귀여운 할머니나 할아버지가 되어 여전히 서로의 실없음에 추임새처럼 폭소하는. 기억 속에 보관된 그간의 대화 위에 겹겹이 쌓아 올리는 다음의 대화. 상상에 힘입어 꾸며진 장면이라 치부하기에는 어쩐지 정말 이루어질 것만 같은 이야기 아닌가요.

"나는 날마다 당신이 붐비는 곳으로 갑니다. 소란스럽지 않은 인파에 파묻히는 즐거움이 있어요."

사랑은 나를 명랑하게 만들어요. 내일을, 내일의 내일을, 또 다음의 내일을 기대하게 해요. 어느 곳을 향하든 사랑 같은 당신이 있습니다.
제 글이 그런 당신에게 언제든 가닿을 수 있다는 사실이 저를 계속 쓸 수 있게 합니다. 당신 덕에 까무룩 안도하게 됩니다. 부디 앞으로도 당신의 어두운 그늘을 제가 전부 집어삼킬 수 있기를, 체할지라도 흔적 없이 소화할 수 있기를, 여린 당신에게는 날마다 쾌청함이 쨍하게 들기를 바랍니다.

당신에게 발칙함과 순수함을 한데 모은 사랑을 드립니다. 떼를 지어 쏟는 꽃눈처럼 어지러이 어지러이 사랑하는 마음을 건넵니다. 제가 품은 모든 감사를 당신에게만 전합니다.

나는 너랑 노는 게 제일 좋아

ⓒ 하태완, 2023

초판 1쇄 발행 2023년 7월 17일
초판 11쇄 발행 2024년 8월 27일

지은이 하태완
기획편집 이가람
디자인 책장점
사진 유지민 @dailyprism
콘텐츠 그룹 정다움 이가람 박서영 이가영 전연교 정다솔 문혜진 기소미

펴낸이 전승환
펴낸곳 책읽어주는남자
신고번호 제2024-000099호
이메일 book_romance@naver.com

ISBN 979-11-91891-36-2 03810